ITALIAN CONVERSATION MADE NATURAL

Engaging Dialogues to Learn Italian

1st Edition

LANGUAGE GURU

ISBN: 978-1-950321-35-3

Other Books by Language Guru

English Short Stories for Beginners and Intermediate Learners
Spanish Short Stories for Beginners and Intermediate Learners
French Short Stories for Beginners and Intermediate Learners
Italian Short Stories for Beginners and Intermediate Learners
German Short Stories for Beginners and Intermediate Learners
Russian Short Stories for Beginners and Intermediate Learners
Portuguese Short Stories for Beginners and Intermediate Learners
Korean Short Stories for Beginners and Intermediate Learners

Fluent English through Short Stories
Fluent Spanish through Short Stories

English Conversation Made Natural
Spanish Conversation Made Natural
French Conversation Made Natural
German Conversation Made Natural
Russian Conversation Made Natural
Portuguese Conversation Made Natural
Korean Conversation Made Natural

TABLE OF CONTENTS

INTRODUCTION

We all know that immersion is the tried and true way to learn a foreign language. After all, it's how we got so good at our first language. The problem is, it's extremely difficult to recreate the same circumstances when we are learning our second language. We come to rely so much on our native language for everything, and it's hard to make enough time to learn the second one.

We aren't surrounded by the foreign language in our home countries. More often than not, our families can't speak this new language we want to learn. Plus, many of us have stressful jobs or classes to attend. Immersion can seem like an impossibility.

What we can do, however, is to gradually work our way up to immersion, no matter where we are in the world. The way we can do this is through extensive reading and listening. If you have ever taken a foreign language class, chances are you are familiar with intensive reading and listening. In intensive reading and listening, a small amount of text or a short audio recording is broken down line by line, and every new word is looked up in the dictionary.

Extensive reading and listening, on the other hand, is quite the opposite. You read a large number of pages or listen to hours and hours of the foreign language without worrying about understanding everything. You look up as few words as possible and try to get through material from start to finish as quickly as you can. If you ask the most successful language learners, you'll find that the best results are delivered not by intensive reading and listening but, rather, by extensive reading and listening. Volume is exponentially more effective than total comprehension and memorization.

If you cannot understand native Italian speakers, it is precisely because of a lack of volume. You simply have not read or listened enough to be able to instantly understand people like you can in your native language. This is why it's so important to invest as much time as possible into immersing yourself in native Italian every single day.

To be able to read extensively, you must practice reading in the foreign language for hours every single day. It takes a massive volume of text before your brain stops intensively reading and shifts into extensive reading. Until that point, be prepared to look up quite a few words in the dictionary.

This book provides a few short Italian-language dialogues that you can use to practice extensive reading. These conversations were written and edited by native Italian speakers from Italy. They use 100 percent real Italian as used by native Italian speakers every single day.

We hope these dialogues help build confidence in your overall reading comprehension skills and encourage you to read more native material. We also hope that you enjoy the book and that it brings you a few steps closer to extensive reading and fluency!

HOW TO USE THIS BOOK

T better simulate extensive reading, we recommend keeping things simple and using the dialogues in the following manner:

1. Read each conversation just once and no more.

2. Whenever you encounter a word you don't know, first try to guess its meaning by using the surrounding context before going to the dictionary.

3. After completing the reading for each chapter, test your understanding of the dialogue by answering the comprehension questions. Check your answers using the answer key located at the end of the book.

We also recommend that you read each conversation silently. While reading aloud can be somewhat beneficial for pronunciation and intonation, it's a practice aligned more with intensive reading. It will further slow down your reading pace and make it considerably more difficult for you to get into extensive reading. If you want to work on pronunciation and intonation, a better option would be to speak to a tutor in the foreign language so that you can practice what you have learned.

Memorization of any kind is completely unnecessary. Attempting to forcibly push new information into your brain only serves to eat up your time and make it that much more frustrating when you can't recall the information in the future. The actual language acquisition process occurs subconsciously, and any effort to memorize new vocabulary and grammar structures will store this information only in your short-term memory.

If you wish to review new information that you have learned from the dialogues, several other options would be wiser. Spaced Repetition Systems (SRS) allow you to cut down on your review time by setting specific intervals in which you are tested on information to promote long-term memory storage. Anki and the Goldlist Method are two popular SRS choices that give you the ability to review whatever information you'd like from whatever material you'd like.

Trying to actively review everything you learned through these conversational dialogues will slow you down on your overall path to fluency. While there may be an assortment of things you want to practice and review, the best way to go about internalizing new vocabulary and grammar is to forget it! If it's that important, it will come up through more reading and listening to other sources of Italian. Languages are more effectively acquired when we allow ourselves to read and listen to them naturally.

With that, it is time to get started with our main character Stefano and his story told through 29 dialogues. Good luck, reader!

CAPITOLO 1:
IL CAMBIO DI FACOLTÀ

(Stefano si è recato allo sportello informativo di orientamento, per cambiare facoltà.)

Stefano: Non sono sicuro di che lavoro vorrò fare in futuro.

Consulente: Questo è perfettamente normale. Molti di noi nella vita navigano a vista, cercando di capire quali siano le loro vere attitudini.

Stefano: Beh, di sicuro la mia non è la chimica. Questo lo posso dire con certezza. Al liceo ero molto bravo, ma non credo di voler far questo per il resto della vita.

Consulente: Vorrei tanto poterti rivelare la tua vera passione, ma questo non è possibile. Se potessi farlo, l'intera faccenda della "scelta della facoltà e della conseguente carriera" sarebbe molto più semplice, non credi?

Stefano: Per far questo le dovrebbe avere una sfera di cristallo sulla scrivania!

Consulente: Eh beh, figurati! A questo punto tanto vale andare a lavoro con vestiti e cappello da mago...

Stefano: Assolutamente! Beh, direi che passerò alla facoltà di storia, così potrò riflettere un po'.

Consulente: Va bene. È proprio a questo che serve l'università.

Domande di comprensione

1. Qual era la facoltà dove era iscritto Stefano prima di decidere di cambiarla?

    A. Storia

    B. Chimica

    C. Consulenza

    D. Magia

2. A In quale facoltà ha deciso di iscriversi ora Stefano?

    A. Chimica

    B. Consulenza

    C. Magia

    D. Storia

3. Quando qualcuno cerca di "riflettere", cosa sta cercando di fare realmente?

    A. Si guarda allo specchio e cerca di parlare con la persona che gli è di fronte.

    B. Cerca l'amore della sua vita.

    C. Si sta prendendo del tempo per interpretare al meglio le sue emozioni e i suoi ragionamenti.

    D. Va a caccia di fantasmi.

English Translation

(Stefano went to the information desk for orientation, to change his field of study.)

Stefano: I'm not sure what kind of work I want to do in the future.

Counselor: This is perfectly normal. Many of us in life play it by ear (*literally: navigate by sight*), trying to understand what our true talents are.

Stefano: Well, mine is certainly not chemistry. I can tell you that. In high school, I was really good at it, but I don't think I want to do this for the rest of my life.

Counselor: I wish I could tell you your true passion, but it's just not possible. If I could do that, this whole "choosing a major (college) and career" thing would be much more straightforward now, wouldn't it?

Stefano: You should have a crystal ball on your desk!

Counselor: Eh, well, imagine that! At that point, I might as well come to work with a wizard's robe and hat, too.

Stefano: Definitely! Well (for now), I think I'll switch to the history college so that I can self-reflect for a bit.

Counselor: That's OK. That's exactly what the university is for.

CAPITOLO 2:
SESSIONE DI GIOCO

(Stefano va a casa del suo migliore amico, Flavio, per passare del tempo fuori casa e giocare ai videogame.)

Flavio: Argh! Sono morto di nuovo. Amico mio, questo livello è troppo difficile.

Stefano: Ho capito: il problema è che non facciamo lavoro di squadra. Non sconfiggeremo mai questo nemico se agiamo separatamente.

Flavio: I nostri personaggi sono come l'olio e l'acqua: non stanno per niente bene insieme.

Stefano: E se io lo distraessi, mentre tu gli infliggi il maggior danno possibile? Quando poi inizierà a prenderti di mira cambieremo posto.

Flavio: Come giocare al gatto col topo dici?

Stefano: Sì, ma i topi sono due. E questi topi hanno le armi!

Flavio: Proviamo.

(I due riprendono a giocare.)

Flavio: Ehi, ce l'abbiamo fatta.

Stefano: Sii!

Flavio: Non riesco a crederci, ma ha funzionato davvero. È stato perfetto! Bene, per festeggiare la nostra vittoria direi di uscire a fare uno spuntino.

Stefano: Ok. Andiamo.

Domande di comprensione

1. Quali delle seguenti sostanze non si mescolano bene insieme?
    A. Olio e acqua
    B. Sale e acqua
    C. Zucchero e acqua
    D. Fuoco e acqua

2. In che modo i ragazzi sconfiggono il nemico nel loro gioco?
    A. Vanno a prendersi uno spuntino per festeggiare.
    B. Lavorano insieme, come una squadra.
    C. Agiscono separatamente.
    D. Comprano armi migliori.

3. In che modo festeggiano la loro vittoria Stefano e Flavio?
    A. Agitando i pugni
    B. Suonano un po' di musica.
    C. Escono a prendere degli spuntini.
    D. Non festeggiano la loro vittoria.

English Translation

(Stefano goes over to his best friend Flavio's house to spend time away from home and play video games.)

Flavio: Argh! I died again. Man, this level is way too hard.
Stefano: Look, I get it. The problem is that we don't have any teamwork. We're never gonna beat this (enemy) boss if we act separately.
Flavio: Our characters are like oil and water. They don't match well together at all.
Stefano: What if I distract him while you deal as much damage as possible? When he starts targeting you, we'll change places.
Flavio: Like playing cat and mouse, you mean?
Stefano: Yes, but there are two mice. And these mice have weapons!
Flavio: Let's try it.

(The two resume playing.)

Flavio: Hey, we did it.
Stefano: Yay!
Flavio: I can't believe it, but that actually worked. That was perfect! Yo, to celebrate our victory, I'd say we go out for a snack.
Stefano: Alright. Let's go.

CAPITOLO 3:

IL MINIMARKET

(I due si trovano all'interno del negozio di alimentari locale e cercano qualcosa di appetitoso tra gli scaffali.)

Stefano: Allora, cosa vuoi mangiare?
Flavio: Prendiamo dei panini.

(I ragazzi portano i loro acquisti alla cassa. Dopo aver pagato il cibo, escono e vanno a mangiare nella macchina di Stefano.)

Flavio: Caspita, è davvero ottimo. Non è avocado quello che sento?
Stefano: Credo siano avocado e peperoncino.
Flavio: Beh, come ti va la vita ultimamente? Dicevi di aver cambiato facoltà.
Stefano: Sì. Non ho la più pallida idea di cosa farò in futuro.
Flavio: La stessa cosa vale per me. Non voglio nemmeno pensarci.
Stefano: Però alla fine dovremo farlo, vero?
Flavio: No.
Stefano: Che ne dici di pensarci quando avremo 30 anni?
Flavio: Nemmeno.
Stefano: 80?
Flavio: Giocherò ai videogiochi fino al giorno in cui morirò. Quando me ne andrò dovrai togliere il joystick dalle mie fredde e morte mani.

Domande di comprensione

1. Dove si pagano di solito gli acquisti in un negozio di generi alimentari?
   A. Alla porta
   B. In ufficio
   C. Nel deposito
   D. Alla cassa

2. Quale articolo NON si trova in un minimarket?
   A. Panini
   B. Spuntini
   C. Bevande
   D. Joystick

3. Dove mangeranno i loro panini i ragazzi?
   A. All'interno del negozio
   B. Dentro alla macchina di Flavio
   C. Dentro alla macchina di Stefano
   D. Dentro ai panini

English Translation

(The two are inside their local convenience store and are looking for something appetizing on the store's shelves.)

Stefano: So, what do you want to eat?
Flavio: Let's get sandwiches.

(The boys bring their purchases to the check-out counter. After paying for their food, they go out to eat in Stefano's car.)

Flavio: Wow, this is really good. Is that avocado I taste?
Stefano: I think it's avocado and chili pepper.
Flavio: So, how is life going for you lately? You said you changed departments (majors).
Stefano: Yeah. I have no idea what I'm going to do in the future.
Flavio: The same goes for me. I don't even want to think about it.
Stefano: But in the end, we will have to, won't we?
Flavio: Nope.
Stefano: How about thinking about it when we're 30 years old?
Flavio: Not even then.
Stefano: 80?
Flavio: I will play video games until the day I die. When I leave, you will have to take the joystick off my cold, dead hands.

CAPITOLO 4:
PUNTUALITÀ

(Stefano lavora part-time in una pizzeria d'asporto del posto. Fa il rider, quindi si occupa di consegnare pizze a domicilio. All'interno del negozio, Stefano e il direttore generale della pizzeria fanno una chiacchierata, nel mentre piegano i cartoni delle pizze.)

Aurora: Così ho dovuto licenziarlo. Capisco che gli imprevisti possano capitare e che a volte si faccia tardi. Ma non ci sono scuse se non ci si presenta al lavoro e non si risponde nemmeno al telefono.

Stefano: Capisco. Era una persona simpatica e divertente, ma non si è presentato al lavoro e non ha nemmeno risposto al telefono. Questo non è ammissibile.

Aurora: A volte capita. Tanti studenti universitari lavorano qui e alcuni vogliono fare baldoria tutta la notte. Quindi, dopo sono troppo sbronzi o troppo stanchi per venire al lavoro. Vorrei che almeno mi chiamassero per avvisarmi.

Stefano: Wow, penso che tu sia la datrice di lavoro più indulgente che io abbia mai avuto.

Aurora: Oh no. Li licenzierei comunque se venissi a sapere che era quello il motivo della loro assenza. Abbiamo bisogno di un team affidabile per gestire al meglio questo posto.

Stefano: Ricordami di non finire mai nella tua lista nera.

Aurora: A dir la verità saresti uno dei primi che meriterebbero una promozione.

Stefano: Davvero?

Aurora: Sarebbe carino avere un vice manager. Sto qui ogni giorno e ciò non fa bene alla mia salute mentale. Mi servirebbe del tempo libero.

Stefano: Wow. Sono lusingato, non so davvero cosa dire.

Aurora: Non serve che tu dica nulla. Il prossimo ordine è pronto. Vai a consegnarlo.

Domande di comprensione

1. Che cosa non è ammissibile, secondo Stefano?
   A. Essere assenti dal lavoro, motivo per cui si viene licenziati
   B. Un'assenza del dipendente, senza alcun preavviso al datore di lavoro
   C. Bisogna avvisare se non si va a lavoro, perché è una sorta di regola non scritta.
   D. Usare gli smartphone sul posto di lavoro

2. Qual è l'opposto di "indulgente"?
   A. Rigoroso
   B. Vigoroso
   C. Intelligente
   D. Supremo

3. Perché Aurora vuole assumere un secondo manager?
   A. Desidera poter competere con le altre pizzerie d'asporto della zona.
   B. Vuole essere promossa.
   C. Vuole dimettersi.
   D. Vuole prendersi del tempo libero dal lavoro per il bene della sua salute mentale.

English Translation

(Stefano works part-time at a local takeout pizzeria. He's a driver, so he delivers pizzas to customer's homes. Inside the store, Stefano and the general manager of the pizzeria have a chat while they fold pizza boxes).

Aurora: So I had to fire him. I understand that unforeseen events can happen, and that sometimes you can be late. But there is no excuse if you don't show up for work and don't answer the phone.

Stefano: I understand. He was a nice and funny person, but he didn't show up for work and didn't even answer the phone. That's not acceptable.

Aurora: It happens sometimes. A lot of university students work here, and some want to party all night long. Then, they are too drunk or too tired to come to work. I wish they would at least call in to tell me.

Stefano: Wow, I think you're the most lenient boss I've ever had.

Aurora: Oh no. I would still fire them if I knew that was their reason for not showing up. We need a reliable team to run this place.

Stefano: Remind me never to get on your bad side (*literally: to end up on your blacklist*).

Aurora: To tell the truth, you'd be one of the first people to deserve a promotion.

Stefano: Really?

Aurora: It would be nice to have an assistant manager. I'm here every day, and it's not good for my mental health. I could use some time off.

Stefano: Wow. I'm flattered. I really don't know what to say.

Aurora: You don't need to say anything. The next order is ready. Go deliver it.

22

CAPITOLO 5:
CHIACCHIERANDO CON
I COMPAGNI DI CORSO

(Stefano è a scuola per una lezione di storia.)

Professore: Per oggi è tutto. Non dimenticate di studiare a fondo per il prossimo esame. Per ciascuna ora trascorsa qui in aula, dovreste dedicare almeno due ore al ripasso degli argomenti trattati.

(Gli studenti iniziano a riordinare le proprie cose e a lasciare l'aula. Uno studente alla sinistra di Stefano inizia una conversazione con lui.)

Allievo: Due ore? È troppo! Abbiamo anche una vita, non credi?
Stefano: Sì, è veramente troppo.
Allievo: Capisco che dobbiamo studiare per ottenere un buon voto e tutto, ma qui si esagera.
Stefano: Eh beh, a chi lo dici! Ci sono tante cose che vorrei fare anche se sono ancora uno studente.
Allievo: Sì, c'è davvero tanto da fare in giro per il campus. Ogni giorno c'è qualcosa di nuovo. Hai sentito che questo fine settimana si terrà un festival del cinema di 48 ore?
Stefano: È quello in cui ogni squadra ha 48 ore a disposizione per fare un film, giusto? Sì, ne ho sentito parlare. Ci andrai?
Allievo: Certo. Mi iscriverò con alcuni amici e poi si vedrà. E tu?

Stefano: No, non ci capisco nulla di film. Probabilmente riuscirei a rovinare tutto in meno di 48 secondi! Però potrei iscrivermi al corso di cucina.

Domande di comprensione

1. Secondo il professore, dopo aver trascorso 10 ore in classe, quante ore serviranno per ripassare in vista dell'esame?
    A. 10 ore
    B. 15 ore
    C. 20 ore
    D. 25 ore

2. Dove si svolge la conversazione in questo capitolo?
    A. All'interno di un ufficio di consulenza
    B. Nell'ufficio del professore
    C. Ad un festival
    D. All'interno di un'aula universitaria

3. Cosa succede al festival cinematografico di 48 ore?
    A. La gente si riunisce in un grande teatro per guardare film, il tutto per 48 ore di fila.
    B. La gente si riunisce per vedere in anteprima un nuovo film, che ha una durata di 48 ore.
    C. Le squadre si iscrivono, quindi competono creando un film, con 48 ore di tempo a disposizione. Verrà nominato il miglior film.
    D. Le squadre partecipano a una super-maratona di 48 ore e poi ne fanno un film.

English Translation

(Stefano is at school for a history lecture.)

Professor: That will be it for today. Don't forget to study hard for the next exam. For every hour you spend here in the classroom, you should spend at least two hours reviewing the topics covered.

(The students start packing up their belongings and leaving the classroom. A student to the left of Stefano starts up a conversation.)

Classmate: Two hours? That's way too much! We also have a life, you know?

Stefano: Yeah, it's really too much.

Classmate: I get that we have to study to get a good grade and all, but this is taking it too far.

Stefano: I know, right? There's so much stuff I want to do while I'm student still.

Classmate: Yeah, there is really a lot to do around campus. Every day there is something new. Have you heard that there's going to be a 48-hour film festival this weekend?

Stefano: That's the one where each team has 48 hours to make a movie, right? Yes, I did hear about that. Are you going?

Classmate: Sure am. I'm going to sign up with some friends, and then, we'll see. How about you?

Stefano: Nah, I don't understand anything about film. I could probably ruin everything in less than 48 seconds! But I could sign up for the cooking class.

CAPITOLO 6:

L'INGREDIENTE SEGRETO

(Stefano frequenta un corso di cucina serale, che si tiene in un'aula della sua facoltà.)

Insegnante: Le cipolle sono l'ingrediente più importante di questa ricetta. Vanno condite nel modo giusto, altrimenti il curry non avrà lo stesso sapore.

Studente #1: Quindi, mentre le cipolle cuociono, si dovranno aggiungere sale, pepe, aglio e zenzero?

Insegnante: Sì e ora arriva l'ingrediente segreto.

Studente #2: Quale sarebbe l'ingrediente segreto?

Insegnante: Non sarebbe più un segreto, se te lo dicessi.

Stefano: Ma come faremo a preparare questo piatto a casa?

Insegnante: La persona che indovinerà l'ingrediente segreto riceverà un premio!

Studente #1: Ok. Si tratta del cocco?

Insegnante: No.

Studente #2: È l'olio d'oliva?

Insegnante: Riprovateci.

Stefano: È l'amore?

Insegnante: Quello è l'ingrediente segreto di tutti i piatti, quindi no, non si tratta di quello.

Studente #1: Gelato?

(L'Insegnante fissa glacialmente lo Studente #1.)

Stefano: Secondo me faremmo meglio ad arrenderci tutti.

Insegnante: Molto bene. La risposta esatta è il basilico. E dal momento che nessuno di voi ha indovinato, mi terrò il premio e me lo godrò da solo.

Domande di comprensione

1. Cosa utilizza l'insegnante per condire le cipolle?
   A. Sale, pepe, aglio e zenzero
   B. Sale, pepe e olio d'oliva
   C. Sale, pepe e olio di cocco
   D. Gelato

2. Dove si tiene il corso di cucina?
   A. All'interno di un'aula studio esterna alla facoltà
   B. All'interno di una sala lettura
   C. Fuori dalla facoltà
   D. In un'aula della facoltà

3. Qual'era il premio se gli studenti avessero indovinato l'ingrediente segreto?
   A. Basilico
   B. Denaro contante
   C. Gelato
   D. Non è menzionato.

English Translation

(Stefano attends an evening cooking class, which is held in a classroom at his college).

Instructor: The onions are the most important part of this recipe. They have to be seasoned properly, or the curry will not taste the same.
Student #1: So, while the onions are cooking, you have to add salt, pepper, garlic, and ginger?
Instructor: Yes, and now comes the secret ingredient.
Student #2: What's the secret ingredient?
Instructor: It wouldn't be a secret anymore if I told you.
Stefano: But how are we supposed to make this dish at home?
Instructor: The person who guesses the secret ingredient gets a prize!
Student #1: OK. Is it coconut?
Instructor: No.
Student #2: How about olive oil?
Instructor: Try again.
Stefano: Is it love?
Instructor: That's the secret ingredient of all dishes, so no, it's not about that.
Student #1: Ice cream?

(The instructor coldly stares at Student #1.)
Stefano: I think we'd better all give up.
Instructor: Very well then. The correct answer is basil. And since no one guessed right, I will keep the prize and enjoy it all by myself.

CAPITOLO 7:
UN APPUNTAMENTO
CON UNA SCONOSCIUTA

———

(Stefano ha conosciuto una persona online, tramite un'app per appuntamenti. Dopo aver chiacchierato per alcuni giorni hanno deciso di incontrarsi di persona e si sono dati appuntamento in un bar della zona.)

Stefano: Ciao, sei Marta?

Marta: Sì, sono io, ciao.

Stefano: Io sono Stefano. Piacere di conoscerti.

Marta: Piacere di conoscerti.

Stefano: Dal vivo sei molto più carina.

Marta: Oh, grazie. Lo stesso vale per te.

Stefano: Frequenti spesso questo bar?

Marta: Sì, qualche volta.

Stefano: Quando?

Marta: Dopo le lezioni.

Stefano: Oh, bello. Quale corso frequenti?

Marta: Informatica.

Stefano: Come ti trovi?

Marta: Beh dai, mi diverto.

Stefano: Come mai hai scelto informatica?

Marta: Ehm, perché con questo tipo di studi si possono trovare dei lavori che pagano bene.

Stefano: Pagano bene, eh?
Marta: Sì.
Stefano: Non si possono non amare i lavori ben pagati!
Marta: Mmmhmm.

(I due rimangono in un silenzio imbarazzante per una decina di secondi che sembrano secoli.)

Marta: Oh. Ho appena ricevuto un messaggio da un amico. Mi sa che devo raggiungerli.
Stefano: Oh, Ok. Beh, è stato un piacere conoscerti.

(Marta raccoglie le sue cose e lascia il bar. Stefano estrae immediatamente il suo smartphone e inizia a meditare su cosa sia andato storto.)

Domande di comprensione

1. Dove si sono conosciuti per la prima volta Stefano e Marta?
   A. Al corso di cucina
   B. Durante una delle lezioni di Stefano
   C. Entrambi lavorano nella stessa pizzeria d'asporto.
   D. Attraverso un'app di incontri online

2. Come descriveresti il tono generale della conversazione in questo capitolo?
   A. Scomodo
   B. Grave
   C. Arrogante
   D. Intimo

3. Quando avrà luogo il secondo appuntamento tra Stefano e Marta?
   A. Quando Stefano riceverà il suo prossimo stipendio
   B. Saltuariamente, durante il fine settimana
   C. Al termine del semestre
   D. Probabilmente non ci sarà un secondo appuntamento.

English Translation

(Stefano met someone online through a dating app. After chatting for a few days, they decided to meet in person at a local bar.)

Stefano: Hi, are you Marta?
Marta: Yes, that's me. Hi.
Stefano: I'm Stefano. Nice to meet you.
Marta: Nice to meet you.
Stefano: You look a lot cuter in person.
Marta: Oh, thanks. The same goes for you.
Stefano: Do you come to this bar a lot?
Marta: Yeah, sometimes.
Stefano: When?
Marta: After school.
Stefano: Oh, that's cool. What classes do you take?
Marta: Computer science.
Stefano: How do you like it so far?
Marta: Um, well, I'm having fun.
Stefano: Why did you choose computer science?
Marta: Uh, because with it, you can find jobs that pay well.
Stefano: They pay well, huh?
Marta: Yup.
Stefano: You gotta love jobs that pay you well.
Marta: Mmmhmm.

(The two remain in an embarrassing silence for about ten seconds that seems like centuries).

Marta: Oh. Uh, I just got a text from a friend. I think I have to catch up with them.
Stefano: Oh, OK. Well, it was nice meeting you.

(Marta picks up her belongings and leaves the bar. Stefano immediately takes out his smartphone and starts to ponder what went wrong.)

CAPITOLO 8:

UN ALLENAMENTO INTENSO

(Stefano ha deciso di iniziare ad allenarsi nella palestra universitaria. Sta per iniziare a sollevare i pesi, quando decide di chiedere aiuto.)

Stefano: Mi scusi. Mi spiace disturbarla.

Sconosciuto: Nessun problema. Cosa posso fare per te?

Stefano: Sa, ho appena iniziato ad allenarmi con i pesi oggi e mi chiedevo: come ha fatto a diventare così magro e scolpito? È davvero impressionante!

Sconosciuto: Oh, grazie. Ci vogliono tempo e duro lavoro, come per tutte le cose del resto.

Stefano: Supponiamo che le abbiano dato otto settimane per rimettersi in forma, partendo da zero. Cosa farebbe?

Sconosciuto: Beh, otterrai risultati a dir poco scadenti se ti allenerai solo per otto settimane. L'industria del fitness tende a convincere le persone che potranno avere un fisico come quello di un modello professionista in sole otto settimane, a patto che comprino quello che loro propongono.

Stefano: Non saprei. Ho visto molte foto fantastiche che mostrano il prima e il dopo.

Sconosciuto: Questo è un altro trucco. Quelli sono attori pagati. Essi sono già molto muscolosi molto prima di iniziare una qualsiasi dieta sgrassante.

Stefano: Bene allora. Quale tipo di programma di otto settimane consiglierebbe ad un principiante?

Sconosciuto: Ti dirò una cosa. Se inizi con le basi e fai degli squat pesanti, stacchi e panche, vedrai dei miglioramenti concreti in termini di forza e di dimensioni.

Stefano: Ok. Può mostrarmi quali macchine devo usare per questi allenamenti?

Sconosciuto: Questi esercizi vanno fatti con il bilanciere. Otterrai il triplo dei risultati, se ti alleni con il bilanciere.

Stefano: Non saprei. Mi sembra piuttosto difficile.

Sconosciuto: E deve esserlo. È esattamente così che si diventa grandi e forti.

Stefano: Lo terrò a mente. Cosa mi suggerirebbe invece per la dieta?

Sconosciuto: Dovrai andare in leggero surplus calorico, questo si ottiene mangiando circa 200-300 calorie in più, rispetto a quello che mangi di solito. Non intendo cibo spazzatura, ma cibo nutriente, che è anche ricco di proteine.

Stefano: Intende dire che dovrei contare le calorie?

Sconosciuto: Non necessariamente. Inizia eliminando tutto il cibo spazzatura dalla tua dieta e sostituendolo con molti cibi sani.

Stefano: Ok, capisco. Grazie per l'aiuto, l'apprezzo molto. Vedrò cosa riesco a fare.

(Travolto da tutte quelle informazioni, fornitegli dallo sconosciuto, Stefano decide invece di correre sul tapis-roulant.)

Domande di comprensione

1. Quale delle seguenti definizioni descrive perfettamente il fisico dello sconosciuto?
    A. Massiccio e voluminoso
    B. Magro e muscoloso
    C. Fragile e magro
    D. Soffice e flaccido

2. Cosa significa "mettersi in forma"?
    A. Migliorare la propria forma fisica attraverso l'esercizio.
    B. Piegare qualcosa in una forma particolare per farla entrare in qualcos'altro.
    C. Diventare un muta-forma.
    D. Piegare il proprio corpo per eseguire determinati esercizi.

3. Lo sconosciuto consiglia a Stefano di fare quanto segue, TRANNE...
    A. Mangiare cibi nutrienti con un surplus calorico.
    B. Mangiare cibi spazzatura con un deficit calorico.
    C. Eliminare tutti i cibi spazzatura.
    D. Fare esercizi con il bilanciere.

English Translation

(Stefano decided to start working out at the university gym. He is about to start lifting weights when he decides to ask for help.)

Stefano: Excuse me. Sorry to bother you.

Stranger: No problem. What can I do for you?

Stefano: So, I just started weight training today, and I was wondering. How did you get so lean and shredded? It's really impressive!

Stranger: Oh, thank you. It takes time and hard work just like anything else.

Stefano: Let's say you had eight weeks to get into shape starting from scratch. What would you do?

Stranger: Well, you're going to get pretty shoddy results if you only work out for eight weeks. The fitness industry would have you believe that you can get a physique like a professional model in just eight weeks as long as you buy what they are selling.

Stefano: I don't know. I've seen a lot of fantastic before-and-after photos.

Stranger: That's another trick. Those are paid actors. They were already very muscular long before they started a diet to cut the fat.

Stefano: Alright then. What kind of eight week program would you recommend for a beginner?

Stranger: I'll tell you what. If you start with the basics and do heavy squats, deadlifts, and bench presses, you'll see real improvements in strength and size.

Stefano: OK. Can you show me which machines I need to use for those?

Stranger: These exercises should be done with the barbell. You will get triple the results if you train with the barbell.

Stefano: I don't know. That seems pretty hard to me.

Stranger: And it must be. That's exactly how you get big and strong.

Stefano: I'll keep that in mind. So, what would you suggest for my diet?

Stranger: You'll have to go into a slight calorie surplus. This is achieved by eating about 200-300 more calories than what you usually eat. I don't mean junk food but nutritious food, which is also rich in protein.

Stefano: Do you mean I should count calories?

Stranger: Not necessarily. Start by cutting all junk food from your diet and replacing it with lots of healthy foods.

Stefano: OK, I see. Thanks for your help. I appreciate it. I'll see what I can do.

(Overwhelmed by the information given to him by the stranger, Stefano decides to run on the treadmill instead.)

CAPITOLO 9:

L'ULTIMA TENDENZA

(Stefano si reca a casa di Flavio per una serata in compagnia.)

Flavio: Com'è andato l'appuntamento che avevi la scorsa settimana con quella ragazza?

Stefano: Malissimo. Non è durato più di tre minuti.

Flavio: Ahia. Era una di quelle uscite che diventano immediatamente imbarazzanti?

Stefano: Più o meno. Temo che sia per colpa del mio aspetto, ma non si sa mai, non credi?

Flavio: Beh, almeno ti stai impegnando. Se continui a provarci prima o poi ne troverai una.

Stefano: E tu? So che sei a corto di soldi, ma...

Flavio: Ti sei appena dato la risposta da solo.

Stefano: Come va la ricerca del lavoro?

Flavio: Bene. Ehi, hai sentito l'annuncio di oggi?

Stefano: No. Di cosa si tratta?

Flavio: Oggi hanno annunciato l'uscita del nuovo gioco di ruolo. Pare sia pazzesco. Hanno anche assunto alcune celebrità di prima categoria per fare il doppiaggio. Tutti hanno aspettative incredibili per questo gioco. Finita la conferenza stampa, l'ho subito prenotato.

Stefano: Internet cerca sempre di entusiasmarti in modo esagerato per qualsiasi cosa. Ancora non ho giocato al gioco più famoso di quest'anno... Ho l'impressione che subito dopo averne finito uno ne escano subito altri 10, di giochi che tutti mi consigliano. Non riesco proprio a stare al passo con tutto questo.

Flavio: Io sì, invece.

Stefano: E come?

Flavio: Facile. Non ho una vita. Fai come me ed improvvisamente avrai tutto il tempo del mondo. Problema risolto.

Domande di comprensione

1. Cosa significa "impegnarsi?"
   A. Uscire
   B. Sfuggire al pericolo
   C. Fare uno sforzo considerevole
   D. Mettersi in una situazione pericolosa

2. Che cos'è una "celebrità di prima categoria?"
   A. Una celebrità attualmente all'apice della sua carriera
   B. Una celebrità appartenente ad una categoria specifica
   C. Una celebrità che prendeva voti alti a scuola
   D. Una celebrazione delle celebrità

3. Cosa significa "non avere una vita?"
   A. Essere morti
   B. Essere privi di sensi
   C. Utilizzare tutte le vite di un videogioco
   D. Trascorrere tutto il tempo a non fare nulla di importante o di significativo

English Translation

(Stefano goes over to Flavio's house for an evening to hang out.)

Flavio: How did that date go last week with that girl?

Stefano: Terrible. It didn't last longer than three minutes.

Flavio: Ouch. Was it one of those dates that immediately became awkward?

Stefano: Pretty much. I'm afraid that it's because of my appearance, but you never know, right?

Flavio: Well, at least you're making an effort. If you keep trying, you'll find one sooner or later.

Stefano: What about you? I know you're low on money, but...

Flavio: You just answered your own question.

Stefano: How's the job hunt coming along?

Flavio: Good. Hey, did you hear about today's announcement?

Stefano: No. What was it?

Flavio: They announced the release of the new RPG today. It looks insane. They even hired some first class (A-list) celebrities to do the voice acting. The hype surrounding this game is unreal. After the press conference, I immediately pre-ordered it.

Stefano: The Internet always tries to get you hyped about something. I still haven't played the biggest game of this year... I have the impression that as soon I finish one game 10 more come out right after that everybody tells me to play. I just can't keep up with all this.

Flavio: I can.

Stefano: How?

Flavio: Easy. I don't have a life. Do as I do, and suddenly, you have all the time in the world. Problem solved.

CAPITOLO 10:
SACRIFICIO

(Stefano è al lavoro a chiacchierare con Aurora, mentre piegano i cartoni delle pizze.)

Aurora: Questa sera abbiamo molte consegne da fare. Sarà una notte intensa. Mi piace quando siamo sempre indaffarati. In questi casi il tempo vola e ce ne andremo a casa prima di quanto immaginiamo.

Stefano: Ho sentito che hai un figlio. Quanti anni ha?

Aurora: Ha compiuto 15 anni proprio l'altro giorno.

Stefano: Quindi sta a casa con suo padre, mentre tu fai il turno di sera?

Aurora: Tesoro caro, mio figlio ha un padre, ma non un papà.

Stefano: Vuoi dire che l'hai cresciuto da sola?

Aurora: Certo. Mio figlio, ovviamente, non la vede così. Ho dovuto andare al lavoro praticamente tutti i giorni per pagare le bollette, per cui non abbiamo trascorso molto tempo insieme. È stata mia madre, sua nonna, ad occuparsi di lui mentre io lavoravo.

Stefano: Ma ora è abbastanza grande per stare a casa da solo, giusto?

Aurora: Sì. Per mia madre va bene così, aveva bisogno di una pausa, ma, come immaginerai, ora lui si sente solo.

Stefano: È una situazione difficile.

Aurora: Siamo in concorrenza diretta con altre due pizzerie d'asporto, e, anche se do tutta me stessa, questo basta a malapena perché la pizzeria rimanga aperta. Se dovessi prendermi anche un solo giorno libero, riceverei una chiamata dal proprietario e lui non chiama mai, a meno che non si tratti di qualcosa di brutto.

Stefano: Wow, è difficile aver a che fare con persone così. Se questo può farti sentire meglio, un giorno tuo figlio rifletterà e capirà quanto sua madre abbia sacrificato per lui.

Aurora: Non sarebbe stupendo se quel giorno fosse già oggi?

Domande di comprensione

1. Perché ad Aurora piacciono le serate dove si è indaffarati?
   A. In quelle serate fanno più soldi.
   B. Il tempo passa rapidamente, il che significa che tutti se ne torneranno a casa prima di quanto pensino.
   C. Il proprietario di solito va a fargli visita.
   D. Significa che ci sarà una festa, dopo il lavoro.

2. Come è stato cresciuto il figlio di Aurora?
   A. Da Aurora e suo marito, che hanno lavorato tutto il tempo
   B. Da Aurora, che ha lavorato tutto il tempo e dalla mamma di Aurora, che lo accudiva andando a casa sua
   C. Dai genitori adottivi, che lo accudivano a casa loro
   D. In un orfanotrofio

3. Cosa succederebbe se Aurora si prendesse un giorno libero?
   A. La pizzeria prenderebbe fuoco.
   B. I dipendenti protesterebbero.
   C. Il proprietario la chiamerebbe per sgridarla.
   D. I clienti non ordinerebbero nulla.

English Translation

(Stefano is at work chatting with Aurora while folding pizza boxes.)

Aurora: We have a lot of deliveries to make tonight. It's going to be a busy night. I like it when we're always busy. In this case, time flies, and we get home sooner than we imagine.

Stefano: I heard you have a son. How old is he?

Aurora: He just turned 15 the other day.

Stefano: So, he stays home with his dad while you work the evening shift?

Aurora: Honey, my son has a father but not a dad.

Stefano: You mean you raised him by yourself?

Aurora: Of course. My son obviously doesn't see it that way. I had to go to work almost every day to pay our bills, so we didn't spend much time together. It was my mom, his grandmother, who took care of him while I was working.

Stefano: But now he is old enough to stay home alone, right?

Aurora: Yes. It's good for my mother, who needed the break, but as you can imagine, now he feels lonely.

Stefano: That's a rough situation.

Aurora: We are in direct competition with two other takeout pizzerias, and even though I give it my all, this is barely enough for the pizzeria to stay open. If I had to take even one day off, I would get a call from the owner, and he never calls unless it's something bad.

Stefano: Wow, it's hard to deal with people like that. If it makes you feel any better, one day your son will reflect and understand how much his mom has sacrificed for him.

Aurora: Wouldn't it be great if that day was today?

CAPITOLO 11:
CHIACCHIERANDO
CON I CLIENTI

(Stefano è fuori per una consegna. Arriva all'appartamento del cliente e suona il campanello con il suo ordine in mano. Un uomo di mezza età gli apre la porta.)

Stefano: Salve. Ho qui una pizza al formaggio per l'appartamento 312.
Cliente: Sì, sono io. Eccoti i soldi per l'ordine. Tieni pure il resto.
Stefano: Grazie.
Cliente: Sembri uno studente universitario. Non è così?
Stefano: Certo signore.
Cliente: I quattro anni migliori della mia vita, erano bei tempi quelli. Goditeli finché puoi, questi anni d'oro voleranno via prima che tu possa accorgertene.
Stefano: Ci proverò, sicuramente.
Cliente: Cosa studi?
Stefano: Ho fatto chimica per un po', ma ora non sono più sicuro di quello che voglio fare realmente.
Cliente: Non preoccuparti. Avrai tutta la vita per capirlo. Sei giovane. Intanto goditi la vita universitaria. Feste, bevute, nuovi amici e tante donne!
Stefano: Lo farò! Oh, a proposito, se la domanda non la infastidisce, cosa ha studiato?

Cliente: Storia. Anche se alla fine non mi è servito a niente. Non sono riuscito a trovare un lavoro dopo la laurea, quindi ora faccio anche io il rider.

Domande di comprensione

1. Come ha pagato la pizza il cliente?
    A. Con la carta di credito
    B. Tramite assegno
    C. In contanti
    D. Per vaglia postale

2. Qual è stato il consiglio dato dal cliente a Stefano?
    A. Di non dare troppa importanza al corso universitario e di godersela alle feste
    B. Di iniziare presto una relazione a lungo termine, realizzarsi e sposarsi
    C. Di dedicare tutto il suo tempo e la sua attenzione agli studi
    D. Di concentrarsi sull'accumulare più denaro possibile, così da iniziare a prepararsi per il futuro

3. Qual è stato il problema del cliente che aveva studiato storia?
    A. La trovava troppo noiosa.
    B. Si rese conto che i possibili lavori con una laurea in storia non pagavano quanto lui desiderava.
    C. Non riuscì a trovare un lavoro dopo la laurea.
    D. Lasciò l'università.

English Translation

(Stefano is out on a delivery. He arrives at the customer's apartment and rings the doorbell with the order in hand. A middle-aged man opens the door.)

Stefano: Hi. I have here a cheese pizza for apartment 312.

Customer: Yes, that's me. Here's the money for the order. You can keep the change.

Stefano: Thank you.

Customer: You look like a university student. Am I right?

Stefano: Yes, sir.

Customer: Best four years of my life. Those were good times. Enjoy them while you can. Those golden years will fly away before you know it.

Stefano: I'll try, certainly.

Customer: What are you studying?

Stefano: I did chemistry for a bit, but now I'm not sure what I want to do.

Customer: Don't worry about that. You have your whole life to figure that out. You're young. In the meantime, enjoy the college life. Parties, drinking, new friends, and lots of women!

Stefano: I will! Oh, by the way, if the question does not bother you, what did you study?

Customer: History. Although in the end, it didn't do me any good. I couldn't find a job after graduation, so now I'm a delivery driver, too.

CAPITOLO 12:
CONTROLLARE I LIBRI

(Stefano è nella biblioteca universitaria, alla ricerca di un libro stimolante. Ne trova uno che vorrebbe prendere in prestito e leggere.)

Stefano: Salve, vorrei prendere in prestito questo libro.
Bibliotecario: OK. Hai con te la tessera universitaria?
Stefano: Sì. Eccola qui.
Bibliotecario: Bene. Devo solo registrare il prestito del libro a tuo nome.

(Passano alcuni momenti in silenzio.)

Stefano: Mi tolga una curiosità: ha mai letto qualcosa dell'autore di questo libro?
Bibliotecario: No, non mi pare proprio. Di che autore si tratta?
Stefano: Ho sentito dire che quest'autore si occupa delle vite di personaggi famosi. Personaggi che hanno fatto la storia. Tantissime persone mi hanno consigliato i suoi libri, soprattutto per la saggezza pratica che li caratterizza.
Bibliotecario: Bene, mi sembra molto interessante. Io leggo più che altro narrativa. Penso che tutte le storie importanti abbiamo un fondamento di saggezza intrinseco. Ma, quello che mi piace della narrativa è che spetta al lettore scoprire ed interpretare quella lezione di vita in modo del tutto personale.
Stefano: Per quanto mi riguarda, probabilmente per via della scuola, ho sempre associato la lettura dei romanzi alla noia.

Bibliotecario: Quindi è per questo che adesso leggi la saggistica?
Stefano: In realtà non leggo molto. Questo è il primo libro che ho preso in prestito, gli altri che leggo sono tutti testi scolastici.

Domande di comprensione

1. Cosa serve per dare un'occhiata ad un libro della biblioteca universitaria?
   A. Una tessera universitaria
   B. Denaro
   C. Una patente di guida
   D. Un carta d'identità statale

2. Di cosa si occupa l'autore del libro che interessa a Stefano?
   A. Della vita dei bibliotecari
   B. Della vita di persone che hanno fatto la storia
   C. Di storia della saggezza pratica
   D. Di storia delle persone e del mondo

3. Perché il bibliotecario preferisce i romanzi?
   A. Sono più divertenti ed entusiasmanti della saggistica.
   B. Spetta al lettore trovare la saggezza e le lezioni di vita contenute nella storia.
   C. Possono essere di vari generi, come fantasy, fantascienza e romantico.
   D. Nel complesso è più saggio leggere i romanzi piuttosto che la saggistica.

English Translation

(Stefano is at the university library, looking for an inspiring book. He finds one that he would like to check out and read.)

Stefano: Hi, I'd like to check out this book.
Librarian: OK. Do you have your university card with you?
Stefano: Yes. Here it is.
Librarian: All right. I just need to register the book (loan) in your name.

(A few moments pass in silence.)

Stefano: I'm curious. Have you ever read anything by the author of this book?
Librarian: No, I don't think so. What kind of author is he?
Stefano: I've heard that this author deals with the lives of famous people. Figures who have made history. Many people have recommended his books to me, especially for the practical wisdom that characterizes them.
Librarian: Well, that sounds very interesting. I read fiction more than anything else. I think that all important stories have an intrinsic foundation of wisdom. But what I like about fiction is that it is up to the reader to discover and interpret that life lesson in a very personal way.
Stefano: For me, because of school, I've always associated reading novels with boredom.
Librarian: So, that's why you read non-fiction now?
Stefano: Actually, I don't really read much. This is the first book I've borrowed. The others I read were all school books.

CAPITOLO 13:

TEMPO IN FAMIGLIA

(Stefano è sdraiato sul divano, nel soggiorno del suo appartamento e si sta godendo il suo nuovo libro, quando sua madre rincasa dal supermercato.)

Mamma: Ehi, Stefano.

Stefano: Bentornata.

Mamma: Grazie. Il nuovo negozio di alimentari qui all'angolo è molto economico. Lo adoro!

Stefano: Ah davvero? Cosa hai comprato di buono?

Mamma: Ho preso tutte le nostre verdure preferite a metà prezzo: ravanelli, zucche e cavoli freschi. Ho anche preso la frutta ad un prezzo davvero conveniente. Ho comprato delle mele, delle fragole e dei mirtilli.

Stefano: Ottimo. Cosa prepari di buono per cena?

Mamma: In realtà per stasera avevo in mente di comprare qualcosa da asporto. Ti va una zuppa con qualche hamburger?

Stefano: Certo che sì.

Mamma: Perfetto. A proposito, per quale corso è quel libro che leggi?

Stefano: Non è per lo studio. L'ho preso in prestito in biblioteca.

Mamma: Oh. Hai già finito di studiare per oggi?

Stefano: Mamma non so più nemmeno cosa voglio studiare.

Mamma: Pensavo stessi studiando chimica.

Stefano: No. L'ho abbandonata. Ho cambiato facoltà, ho deciso di studiare storia.

Mamma: Bene, è salutare tenere il cervello allenato. Perché non studi una materia legata alla scienza?

Stefano: La chimica era la scienza che mi piaceva di più, ma non ho più la certezza che sia la mia vera passione.

(Stefano affonda il viso nel suo libro.)

Stefano: Mamma, perché la vita deve essere così difficile?

Mamma: Una volta Bruce Lee disse una cosa che ho apprezzato tanto. "Non pregare di avere una vita facile. Prega di avere la forza di sopportarne una difficile."

Domande di comprensione

1. Cosa ha detto di aver comprato al supermercato la mamma di Stefano?
    A. Rape, sottaceti, cetrioli, albicocche, gelato e banane
    B. Riso, pizza, carote, ghiande, insalate e baguette
    C. Sughi pronti, ananas, torta, asparagi, panini e pancetta
    D. Ravanelli, zucche, cavoli, mele, fragole e mirtilli

2. Cosa mangeranno stasera a cena Stefano e sua madre?
    A. Faranno un minestrone e dei panini fatti in casa.
    B. Ordineranno zuppa e hamburger in un ristorante da asporto.
    C. Mangeranno zuppa e hamburger in un ristorante locale.
    D. Andranno a casa di un amico per una cena a base di zuppa e hamburger.

3. Quale dei seguenti corsi di studio NON è legato alla scienza?
    A. Chimica
    B. Fisica
    C. Biologia
    D. Crittologia

English Translation

(Stefano is lying on the couch in the living room of his apartment, enjoying his new book, when his mom comes back from the supermarket.)

Mom: Hey, Stefano.
Stefano: Welcome back.
Mom: Thanks. The new grocery store here on the corner is so cheap. I love it!
Stefano: Oh yeah? What did you buy?
Mom: I got all our favorite vegetables at half price: fresh radishes, pumpkins, and cabbage. I also got fruits at a really cheap price. I bought apples, strawberries, and blueberries.
Stefano: Great. What are you making for dinner?
Mom: Actually, I was thinking about getting take-out. Would you like soup with some burgers?
Stefano: Of course I do.
Mom: Perfect. By the way, what class is that book you reading for?
Stefano: It's not for class. I borrowed it from the library.
Mom: Oh. Have you finished studying for the day?
Stefano: Mom, I don't even know what I want to study anymore.
Mom: I thought you were studying chemistry.
Stefano: Nah. I dropped it. I changed colleges, and I decided to study history.
Mom: Well, it's good that you're keeping your brain sharp. Why not study a subject related to science?
Stefano: Chemistry was the science I liked best, but I'm not sure it's my true passion anymore.

(Stefano sinks his face into his book.)

Stefano: Mom, why does life have to be so hard?
Mom: Bruce Lee once said something that I really loved. "Pray not for an easy life. Pray for the strength to endure a difficult one."

CAPITOLO 14:
LA DEFINIZIONE DI UN GENIO

(Stefano e Flavio stanno bevendo qualcosa in un bar locale.)

Flavio: Cosa intendi quando dici che il genio non esiste?

Stefano: Quello che noi chiamiamo genio è solo qualcuno che ha capito quali sono i suoi talenti naturali e ha passato più di 10 anni a perfezionarli. Le persone vedono solo il risultato finale e mai il duro lavoro che vi sta dietro, quindi è facile dare del genio a qualcuno.

Flavio: E di Mozart cosa ne pensi? Non era un bambino prodigio?

Stefano: Questo è un ottimo esempio. Quello che la gente non considera è che Mozart aveva mostrato un livello molto alto di interesse per la musica sin da quando era piccolo. In più suo padre era un musicista, compositore, direttore d'orchestra e insegnante professionista. Quando Mozart compì tre anni, riceveva già lezioni di piano ad un livello professionale da suo padre, per tutto il giorno, tutti i giorni. Di notte i suoi genitori dovevano allontanarlo dal piano per farlo dormire.

Flavio: Mmm, non lo so. Come fai a credere che non esistano i geni? Dove hai sentito queste argomentazioni?

Stefano: Le ho lette su un libro.

Flavio: E tu credi ad una cosa letta su un libro?

Stefano: Beh, questa discussione l'ho sentita anche altrove. Da esseri umani noi preferiremmo non fare mai i conti con i nostri fallimenti o errori personali, quindi è più facile osservare le persone di successo e definirle come fortunate, dotate o geniali.

Flavio: No, vabbè. Stai dicendo che la fortuna non esiste? Che ne dici, invece, di campi incredibilmente competitivi, come la recitazione o il canale YouTube?

Stefano: La fortuna è sicuramente un fattore non trascurabile, senza dubbio. Quello che sto dicendo è che se vuoi più fortuna, devi saper creare più opportunità.

(Mentre Stefano sta parlando, Flavio guarda alle sue spalle e vede due ragazze attraenti, sedute ad un altro tavolo.)

Flavio: Parlando di opportunità, ne vedo un paio dall'altra parte della stanza in questo preciso momento. Seguimi.

Domande di comprensione

1. In che modo Stefano definisce cos'è un "genio"?
    A. Qualcuno di incredibilmente intelligente e abile
    B. Qualcuno che inventa qualcosa di rivoluzionario
    C. Qualcuno che ha capito i propri talenti naturali e ha passato più di 10 anni a perfezionarli
    D. Qualcuno che ha trascorso oltre 10 anni a scoprire quali sono i suoi talenti naturali

2. Qual è tra questi un sinonimo di "genio"?
    A. Intellettuale
    B. Perfetto
    C. Prodigio
    D. Professionista

3. Secondo Stefano, "se vuoi maggiore fortuna...
    A. devi lanciare i dadi."
    B. devi essere fortunato."
    C. devi saper creare più opportunità."
    D. devi trovare un ferro di cavallo o un quadrifoglio."

English Translation

(Stefano and Flavio are having drinks in a local bar.)

Flavio: What do you mean (when you say that) genius doesn't exist?

Stefano: What we call genius is just someone who has figured out their natural talents and spent over 10 years perfecting them. People see only the end result and never the hard work behind it, so so it's just easy to call someone a genius.

Flavio: What do you think about Mozart? Wasn't he a child prodigy?

Stefano: That's a great example. What people don't consider is that he had shown a very high level of interest in music since he was a child. In addition, his father was a professional musician, composer, conductor, and teacher. By the time Mozart turned three, he was already receiving professional-level piano lessons all day, every day from his dad. At night, his parents had to take him away from the piano just to get him to sleep.

Flavio: Hmm, I don't know. How can you believe that there's no such thing as a genius? Where did you hear these arguments?

Stefano: I read them in a book.

Flavio: And you believe something you read in a book?

Stefano: Well, I've heard this discussion elsewhere, too. As human beings, we would prefer never to deal with our personal failures or mistakes, so it's easier to observe successful people and define them as lucky, gifted or brilliant.

Flavio: No way. Are you saying that luck doesn't exist? What about incredibly competitive fields, like acting or YouTube?

Stefano: Luck is definitely a signficant (non-negligible) factor, no doubt. What I'm saying is that if you want more luck, you have to be able to create more opportunities.

(While Stefano is talking, Flavio looks over his shoulder and spots two attractive girls sitting at another table.)

Flavio: Speaking of opportunities, I see a couple of them across the room right now. Follow me.

CAPITOLO 15:
CONSEGNANDO UNA RICETTA

———

(Stefano è nella sua farmacia di fiducia per ritirare un nuovo farmaco.)

Stefano: Salve, sono qui per consegnarvi la mia ricetta.
Farmacista: Ok. Come ti chiami?
Stefano: Stefano Rizzo.
Farmacista: Data di nascita?
Stefano: 20 febbraio 2000.
Farmacista: Ok. Ottimo. Torno subito.

(Il farmacista va a recuperare la medicina di Stefano.)

Farmacista: Bene. Hai delle domande su come assumere questo farmaco?
Stefano: Sì. Devo prenderlo al mattino e alla sera, giusto?
Farmacista: Esatto.
Stefano: Devo assumerlo durante i pasti o basta prenderlo a stomaco vuoto?
Farmacista: Fa lo stesso.
Stefano: Capisco. Ci sono problemi se assumo il farmaco in momenti diversi durante il giorno? Le mie giornate non sono sempre uguali, a causa del lavoro e della scuola.
Farmacista: A patto che ogni dose venga assunta durante il mattino e nelle ore della serali, non ci saranno problemi.

Stefano: Ok, grazie. Ah, un attimo! Ho dimenticato di chiederle un'ultima cosa. La pillola va deglutita, vero? O è masticabile?

Farmacista: Va ingoiata, sì. Non va masticata. Oltre a questo, posso fare qualcos'altro per te?

Stefano: Sì. Dov'è la fontana più vicina? Devo prendere il farmaco il prima possibile.

Domande di comprensione

1. Dove si vanno a consegnare le ricette?
   A. In farmacia
   B. Nello studio medico
   C. A scuola
   D. Sul posto di lavoro

2. Stefano dovrebbe assumere i suoi farmaci con o senza cibo?
   A. Con il cibo
   B. Senza cibo
   C. Non importa.
   D. Dipende dalla situazione.

3. Quali dei seguenti NON è un metodo di somministrazione orale di un farmaco?
   A. Iniezione
   B. Deglutizione
   C. Masticazione
   D. Bere

English Translation

(Stefano is at his trusted pharmacy to pick up a new medicine.)

Stefano: Hi, I'm here to drop off my prescription.
Pharmacist: OK. What's your name?
Stefano: Stefano Rizzo.
Pharmacist: And your date of birth?
Stefano: February 20, 2000.
Pharmacist: OK. Great. I'll be right back.

(The pharmacist goes to retrieve Stefano's prescription.)

Pharmacist: Alright. Do you have questions about how to take this medication?
Stefano: Yes. I have to take it in the morning and evening, right?
Pharmacist: That's right.
Stefano: Should I take it with food or just take it on an empty stomach?
Pharmacist: Either is fine.
Stefano: I see. Is there any prolem if I take the medicine at different times during the day? My days are not always the same because of work and school.
Pharmacist: As long as each dose is taken during the morning and the evening, there won't be any problem.
Stefano: OK, thank you. Wait a minute! I forgot to ask one last thing. You have to swallow the pill, right? Or is it chewable?
Pharmacist: It has to be swallowed, yes. It's not to be chewed. Other than that, is there anything else I can do for you?
Stefano: Yes. Where's the water fountain? I need to take it as soon as possible.

CAPITOLO 16:
INTERVISTA CON UN
TESTIMONE

(Stefano è a casa a guardare le notizie locali in TV.)

Giornalista: Le autorità affermano che la posizione del sospettato è ancora sconosciuta. Quello che sappiamo è che si tratta di un uomo di età compresa tra i 18 e i 35 anni ed è alto circa 1 metro e 80. Passiamo ora ad un'intervista con una testimone locale della scena.

(La telecamera passa ad un inviato del notiziario, che si trova con una donna di mezza età.)

Inviato: Può riassumerci brevemente quello che ha visto?
Testimone: Stavo tornando a casa dal lavoro, quando ho notato che qualcuno stava ballando selvaggiamente all'incrocio, poco più avanti. Mentre mi avvicinavo all'incrocio, ho notato che questo tizio indossava una grande maschera da cavallo ed era in mutande. Ho pensato di essere sotto l'effetto di qualche strana pillola vedendo questa cosa, ed invece no, è successa per davvero.
Inviato: Per quanto tempo è continuata questa scena?
Testimone: Dal momento in cui l'ha notata, direi circa un minuto.
Inviato: Che cosa è successo dopo?
Testimone: Ha fatto un rapido inchino e poi è scappato via, lungo la strada. Non più di trenta secondi dopo, sono arrivate alcune macchine della polizia, con le sirene accese.

(La telecamera si sposta sul conduttore del telegiornale in studio.)

Giornalista: Questa è la terza apparizione del ballerino mascherato negli ultimi mesi. Come è successo durante ogni sua comparsa, diversi crimini di infrazione domiciliare sono stati segnalati nei pressi dello spettacolo dell'uomo mascherato. Le autorità sospettano una connessione tra questi eventi.

Domande di comprensione

1. Quale dei seguenti NON è un sinonimo della parola "inviato"?
    A. Giornalista
    B. Corrispondente
    C. Reporter
    D. Testimone

2. Cosa indossava il ballerino mascherato?
    A. Solo la biancheria intima
    B. Uno smoking completo
    C. Un completo aziendale
    D. Un abito semi formale

3. Quale dei seguenti termini è un sinonimo di "infrazione domiciliare"?
    A. Crimine
    B. Furto con scasso
    C. Incendio doloso
    D. Contraffazione

English Translation

(Stefano is at home watching the local news on TV.)

Newscaster: Authorities say that the suspect 's whereabouts are still unknown. What we do know is that he is a man between the ages of 18 and 35 and is approximately 180 centimeters tall. We go now to an interview with a local witness at the scene.

(The camera cuts to a news correspondent, who is with a middle-aged woman.)

Reporter: Can you briefly summarize what you saw?
Witness: I was on my way home from work when I noticed someone was dancing wildly at the intersection just up ahead. As I got closer to the intersection, I saw that this guy was wearing a large horse mask and was in his underwear. I thought I had taken *(literally: was under the effect of)* crazy pills or something, but no, it really happened.
Reporter: How long did this scene continue?
Witness: From the time I noticed him, I would say about a minute.
Reporter: What happened after that?
Witness: He took a quick bow and then ran down the street. No more than 30 seconds later, some cop cars showed up with their sirens on.

(The camera cuts back to the news anchor in the studio.)

Newscaster: This is the third appearance of the masked dancer in recent months. As with each appearance, several breaking-and-entering crimes have been reported near the masked man's show. Authorities suspect a connection between these events.

CAPITOLO 17:
UNIRE LE FORZE

(Stefano sta frequentando una lezione di storia nella facoltà.)

Professore: Non dimenticate che gli esami sono fra sole due settimane. Se non avete ancora iniziato a prepararvi per il test, questo sarebbe il momento migliore per cominciare. È tutto per oggi. Godetevi il resto del pomeriggio.

(Gli studenti iniziano a radunare le proprie cose, per poi dirigersi verso l'uscita. Un altro studente si avvicina a Stefano.)

Studente #1: Ehi. Ti piacerebbe far parte di un gruppo di studio per aiutarci a preparare l'esame?
Stefano: Certo. Quanti siete adesso?
Studente #1: Beh, ora che ci sei, siamo in due persone.
Stefano: Oh, capisco. Ehm...
Studente #1: Non preoccuparti. Dobbiamo solo trovare degli altri studenti prima che se ne vadano.

(Stefano annuisce. I due studenti si separano per trovare altri membri da aggiungere al loro gruppo appena formato.)

Stefano: Ciao. Stai cercando un gruppo studio per preparare l'esame?
Studente #2: Non mi sembra male come idea. Mi unirò a voi.

Stefano: Ok, fantastico. Ora dobbiamo solo metterci d'accordo per l'orario ed il posto.
(Stefano e altri quattro studenti sono disposti in cerchio, per concordare l'orario e il luogo della loro riunione.)

Studente #1: Pensavo che potremmo incontrarci venerdì alle ore diciotto in biblioteca. Siete tutti d'accordo?

(Gli studenti annuiscono, si scambiano le informazioni di contatto e poco dopo si dividono.)

Domande di comprensione

1. Quando si tiene solitamente un esame durante un semestre?
    A. Intorno alla metà del semestre
    B. Alla fine del termine del semestre
    C. All'inizio del semestre
    D. Casualmente, entro il semestre

2. In che modo hanno formato il gruppo di studio gli studenti?
    A. Hanno chiesto e invitato i loro compagni di classe alla fine della lezione.
    B. Hanno pubblicato un annuncio sulla bacheca.
    C. Hanno organizzato dei gruppi attraverso un forum online.
    D. Hanno chiesto e invitato gli altri studenti alle feste.

3. In che modo gli studenti rimarranno in contatto?
    A. Si fermano in cerchio, tenendosi per mano.
    B. Si scambiano le informazioni di contatto.
    C. Vivono tutti nello stesso condominio.
    D. Annuiscono con la testa.

English Translation

(Stefano is attending a history lecture at college.)

Professor: Don't forget that exams are only two weeks away. If you haven't yet started preparing for the test, this would be the best time to start. That will be all for today. Enjoy the rest of the afternoon.

(The students start gathering their belongings and heading for the exit. Another student approaches Stefano.)

Student #1: Hey. Would you like to join a study group to help prepare for the exam?
Stefano: Sure. How many are you now?
Student #1: Well, now that you're in, it's two people.
Stefano: Oh, I see. Uh...
Student #1: Don't worry. We just need to find some more people before they leave.

(Stefano nods. The two students split up to find other members to add to their newly formed group.)

Stefano: Hello. Are you looking for a study group to prepare for the exam?
Student #2: That doesn't sound like a bad idea. I'll join you.
Stefano: OK, great. Now we just have to agree on the time and place.

(Stefano and four other students are arranged in a circle to agree on the time and place of their meeting)

Student #1: I was thinking we could meet this Friday at 6 p.m. at the library. Do you all agree?

(The students nod, exchange contact information, and split up shortly after.)

CAPITOLO 18:
ORDINANDO IL PRANZO

(Stefano si ritrova nella caffetteria universitaria, ad ordinare un'insalata per pranzo.)

Barista: Buon giorno. Le do il benvenuto al Salad Express. Cosa posso portarle?
Stefano: Salve. Vorrei ordinare un'insalata mista.
Barista: Ok. Preferisce gli l'insalata gentile o la lattuga romana?
Stefano: Prenderò la lattuga romana.
Barista: Con quali verdure gliela la farcisco?
Stefano: Sedano, cipolla, peperoni e cetrioli, per favore.
Barista: Ok. Desidera altri condimenti?
Stefano: Sì. Degli anacardi, dei lamponi, dei crostini e delle uova sode.
Barista: Perfetto. Gradisce qualche salsa?
Stefano: Va bene quella ipocalorica, grazie.
Barista: Bene. Desidera degli spuntini o delle bevande con il suo ordine?
Stefano: Prenderò un sacchetto di patatine e una soda. È tutto, grazie.
Barista: Ok. Mangia qui o lo porta via?
Stefano: Qui.

(In lontananza, Stefano nota un grande raduno di oltre cento studenti, che se ne stanno andando via insieme.)

Stefano: Ma cosa sta succedendo laggiù? Vede tutta quella folla?

Barista: Onestamente non lo so. La mia ipotesi è che abbia qualcosa a che fare con la manifestazione avvenuta oggi nel campus.

Domande di comprensione

1. Quali delle seguenti NON sono considerate verdure?
   A. Sedano, cipolla, peperoni e cetrioli
   B. Insalata gentile, lattuga romana, lattuga iceberg e cavolo nero
   C. Patate, patate dolci, mais e zucca
   D. Olive, pomodori, avocado e zucche

2. Quali dei seguenti cibi sono generalmente considerati frutta secca?
   A. Anacardi, noci di cocco e uva passa
   B. Anacardi, noci di macadamia e crostini
   C. Anacardi, olive e noci
   D. Anacardi, mandorle e arachidi

3. Quale delle seguenti affermazioni descrive meglio che cos'è una soda?
   A. Una bibita un po' più piccola
   B. Una bevanda che fa perdere peso
   C. Una bibita dal sapore migliore rispetto ad una bevanda normale
   D. Una bevanda gassata, dolcificata con zucchero o con edulcoranti artificiali

English Translation

(Stefano finds himself at the university cafeteria ordering a salad for lunch.)

Employee: Hi. Welcome to Salad Express. What can I get you?

Stefano: Hello. I'd like to order a mixed salad.

Employee: OK. Would you like leaf or romaine lettuce?

Stefano: I'll take romaine lettuce.

Employee: Which vegetables shall I stuff it with?

Stefano: Celery, onion, peppers, and cucumbers, please.

Employee: OK. And would you like any other toppings?

Stefano: Yeah. Let's go with cashews, raspberries, croutons, and hard-boiled eggs.

Employee: Perfect. Would you like some dressing?

Stefano: The low-calorie one is fine, thank you.

Employee: Alright. Would you like any snacks or drinks with your order?

Stefano: I'll take a bag of chips and a soda. That's all, thank you.

Employee: OK. Will this be for here or to go?

Stefano: For here.

(In the distance, Stefano notices a large gathering of more than 100 students, who are leaving together.)

Stefano: What's going on down there? Do you see that whole crowd?

Employee: Honestly, I'm not sure. My guess is that it has something to do with the rally on campus today.

CAPITOLO 19:
L'AULA STUDIO

(Stefano e altri quattro studenti della suo corso di storia si sono riuniti per condividere i loro appunti, al fine di prepararsi al meglio in vista dell'esame.)

Studente #1: Quindi sappiamo che la parte scritta del test sarà composta da venti domande a scelta multipla, cui seguirà una domanda aperta.

Studente #2: Esatto. E la domanda aperta varrà il venticinque percento del voto dell'esame. Ora, abbiamo idea di quale potrebbe essere l'argomento della domanda aperta?

Studente #1: No, ma potremmo provare a indovinare. Qualche idea?

Stefano: Secondo me, probabilmente sarà sull'impero romano e su Giulio Cesare. Al professore piace molto quest'argomento.

Studente #2: Forse. Io pensavo che potrebbe anche essere su Alessandro Magno. Il professore ha dedicato molte lezioni ad approfondire tutti i dettagli della sua vita.

Studente #3: Che succederebbe se ci concentrassimo solo su Alessandro Magno, ma poi ci trovassimo Gengis Khan come argomento della domanda?

Stefano: E se nella domanda fossero compresi tutti e tre?

(I cinque studenti annuiscono simultaneamente.)

Studente #1: Potrebbe essere. Le sue lezioni si concentrano molto sugli imperi costruiti da questi grandi leader.

Studente #4: Mi dispiace interrompere. Intendete dire che la domanda del saggio sarà sugli imperi o sui loro capi?

Stefano: Questa è una bella domanda. È difficile indovinare.

Domande di comprensione

1. Che tipo di test conterrà la parte scritta dell'esame?
   A. Conterrà venti domande, alcune delle quali a risposta multipla, mentre altre saranno aperte.
   B. Conterrà venti domande a scelta multipla e una domanda aperta.
   C. Conterrà venti domande aperte, a cui rispondere anche in molteplici modi.
   D. Conterrà venti domande.

2. Nella conversazione di questo capitolo quali tre leader vengono menzionati?
   A. L'impero romano, l'impero macedone e l'Impero mongolo
   B. Stefano, Flavio e Aurora
   C. Alessandro Magno, Napoleone Bonaparte ed il professore
   D. Giulio Cesare, Alessandro Magno e Gengis Khan

3. Perché la domanda aperta dell'esame è così importante?
   A. Perché non ci sarà nessun esame finale
   B. Perché varrà un quarto del voto dello studente in quell'esame
   C. Perché al professore non piacciono le domande a scelta multipla
   D. Perché questa è l'unica domanda dell'esame

English Translation

(Stefano and four other students from his history class have gathered to share their notes in order to prepare for the exam.)

Student #1: So, we know that the written part of the test will be 20 multiple-choice questions followed by an open-ended (essay) question.

Student #2: Right. And the open-ended question is 25 percent of the exam's grade. Now, do we have any idea what the topic of the open-ended question might be?

Student #1: No, but we could try to guess. Any ideas?

Stefano: In my opinion, It will probably be on the Roman Empire and Julius Caesar. The professor likes that topic a whole lot.

Student #2: Maybe. I thought it could also be on Alexander the Great. The professor dedicated a lot of lectures to delve into all the details of his life.

Student #3: What if we focus only on Alexander the Great, but then we find Genghis Khan as the topic of the question?

Stefano: What if all three were included in the question?

(The five students nod simultaneously.)

Student #1: Could be. His lectures focus a lot on empires built by these great leaders.

Student #4: Sorry to interrupt. Do you mean that the essay question will be on empires or the leaders?

Stefano: That's a good question. It's difficult to guess.

CAPITOLO 20:

DA UNA TERRA STRANIERA

(I cinque studenti sono in pausa dal ripasso. Stefano coglie l'occasione per saperne di più sullo studente straniero presente nel loro gruppo.)

Stefano: Allora, come ti chiami?

Lin: Mi chiamo Lin. Piacere di conoscerti.

Stefano: Anche per me è un piacere. Da dove vieni?

Lin: Vengo dalla Cina. Ho deciso di trasferirmi in Italia per saperne di più sulla sua storia.

Stefano: Ah, davvero? Come ti stai trovando?

Lin: Mm, è un po' difficile. Probabilmente devo studiare di più.

Stefano: Lo stesso vale per me, ma più studio e più mi sento perso. Per tutti noi è difficile.

Lin: Forse viaggiare un po' potrebbe aiutarti. Sei mai stato fuori dall'Italia?

Stefano: No.

Lin: Te lo consiglio vivamente. Si impara così tanto sul mondo e anche su se stessi. Il viaggio potrebbe aiutarti a scoprire cosa desideri veramente.

Stefano: Questo non mi dispiacerebbe affatto.

Lin: Potresti sempre venire in Cina!

Stefano: Imparare il cinese mi sembra un po' troppo difficile. In realtà stavo pensando ad un viaggio in Europa.

Domande di comprensione

1. Perché Lin si è trasferito in Italia?
   A. Per studiare la storia di questo paese
   B. Per studiare le relazioni internazionali tra Italia e Cina
   C. Per studiare business e comunicazione internazionale
   D. Per sfuggire al governo cinese

2. Dove ha viaggiato Stefano in precedenza?
   A. Medio Oriente
   B. Australia
   C. Antartide
   D. Nessuna delle precedenti

3. Viaggiare in tutto il mondo può fare quanto segue TRANNE...
   A. insegnarti qualcosa in più su te stesso.
   B. insegnarti come va il mondo.
   C. aiutarti a scoprire qual è la domanda aperta dell'esame.
   D. aiutarti a scoprire cosa vuoi veramente.

English Translation

(The five students are on break from reviewing. Stefano takes the opportunity to learn more about the foreign student in their group.)

Stefano: So, what's your name?

Lin: My name is Lin. Nice to meet you.

Stefano: It's a pleasure for me too. Where are you from?

Lin: I'm from China, but I decided to move to Italy to learn more about its history.

Stefano: Oh, really? How's that working out for you?

Lin: Um, it's a bit hard. I probably need to study more.

Stefano: The same goes for me, but the more I study, the more lost I feel. It's hard for all of us.

Lin: Hmm, maybe a little traveling could help. Have you ever been outside of Italy?

Stefano: No.

Lin: I highly recommend it. You learn so much about the world and also about yourself. The trip could help you find out what you really want.

Stefano: I wouldn't mind that at all.

Lin: You could always come to China!

Stefano: Learning Chinese sounds a little too hard. I was actually thinking about a trip in Europe.

CAPITOLO 21:
CASA DOLCE CASA

(Stefano ha appena finito il suo turno di lavoro e si prepara a tornare a casa. Prima di andarsene fa una domanda ad Aurora.)

Stefano: Ehi, Aurora. Sei mai stata all'estero?

Aurora: Sì, ma è stato tanto tempo fa.

Stefano: Ah davvero? Dove sei stata?

Aurora: In Svezia. Sono andata a far visita alla mia famiglia che vive lì. Mi sono fermata alcuni mesi.

Stefano: Davvero? Come è stato?

Aurora: Faceva molto freddo. Oddio se faceva freddo! Ho dovuto indossare un cappotto pesante, tutti gli altri invece avevano addosso solo delle camicie a maniche lunghe. È stato pazzesco!

Stefano: Almeno ti sei divertita, nonostante facesse freddo?

Aurora: Mi è piaciuta tantissimo. Ho fatto delle escursioni in montagna per tutto il tempo. È stato il posto più bello che io abbia mai visto.

Stefano: Wow! Perché non ti sei fermata più a lungo, allora?

Aurora: Perché sono cresciuta qui in Italia. Ho capito che questa è la mia casa. Il mio posto è qui.

Stefano: Non sono certo di poter dire lo stesso. Qui mi annoio. In realtà stavo pensando che dovrei viaggiare un po' anch'io.

Aurora: Sì? E dove vorresti andare?

Stefano: Non ne ho idea. Forse in Europa.

Aurora: Dovresti farlo assolutamente. Ti darà una prospettiva completamente nuova sul mondo.

Stefano: Sì. Però mi domando se dovrei fare un programma di studio all'estero.

Aurora: Io lo farei. Fallo, prima che sia troppo tardi. Una volta che ti sposi e hai dei figli è finita! Dimentica l'idea di avere una vita quando arrivi a quel punto.

Domande di comprensione

1. Cosa pensa Aurora del tempo passato in Svezia?
   A. Nonostante facesse tanto freddo, ha comunque adorato questo suo viaggio.
   B. Odiava tutto.
   C. Era indifferente all'intera esperienza.
   D. Pur provando nostalgia di casa di tanto in tanto, tutto sommato stava davvero bene.

2. Perché Aurora è tornata in Italia?
   A. La Svezia era troppo fredda.
   B. Per lei il suo posto è l'Italia.
   C. Le tasse sono troppo alte in Svezia.
   D. L'Italia è un paese migliore per creare una famiglia.

3. Vivere in un paese estero e frequentare un'università straniera, come studente, si chiama...
   A. avere una vita.
   B. essere un italiano all'estero.
   C. studiare all'estero.
   D. farsi una prospettiva completamente nuova.

English Translation

(Stefano has just finished his work shift and is getting ready to go home. Before leaving, he asks Aurora a question.)

Stefano: Hey, Aurora. Have you ever been abroad?

Aurora: Yes, but it was a long time ago.

Stefano: Oh, really? Where have you been?

Aurora: In Sweden. I went to visit my family that lives there. I stayed for a few months.

Stefano: Really? How was it?

Aurora: It was very cold. Good god, it was cold! I had to wear a heavy coat all while everyone else was wearing just long-sleeved shirts. It was crazy!

Stefano: Did you at least have fun despite it being cold?

Aurora: I really liked it. I went hiking all the time in the mountains. It was the most beautiful place I've ever seen.

Stefano: Wow. Why didn't you stay longer, then?

Aurora: Because I grew up here in Italy. I realized that this is my home. My place is here.

Stefano: I'm not sure I feel the same. I'm bored here. Actually, I was thinking that I should travel a bit, too.

Aurora: Oh yeah? And where would you like to go?

Stefano: I have no idea. Maybe in Europe.

Aurora: You should definitely do it. It will give a whole new perspective on the world.

Stefano: Yeah. But I wonder if I should do a study abroad program?

Aurora: I would. Do it before it's too late. Once you get married and have kids, it's all over! Forget about having a life when you get to that point.

CAPITOLO 22:
PAUSA GELATO

(Durante una pausa dai videogiochi, Stefano e Flavio decidono di uscire per un gelato e colgono l'occasione per fare una passeggiata nel parco.)

Stefano: Caspita, oggi il tempo è perfetto!

Flavio: Oh certamente, perfetto per stare a casa a giocare.

Stefano: Beh, questo l'avresti detto a prescindere dal tempo.

Flavio: Ovviamente! Tra l'altro questo gelato è fantastico. Questo gusto alla fragola è buonissimo!

Stefano: La fragola non è niente male. Ma finisco sempre per scegliere la vaniglia o il cioccolato. Con quelli non si sbaglia mai.

Flavio: Adesso cosa hai preso?

Stefano: Questa volta ho scelto la vaniglia.

Flavio: Ah. Mi chiedo se esiste un gusto che li riunisca tutti e tre insieme.

Stefano: Intendi cioccolato, fragola e vaniglia?

Flavio: Sì! Ho dimenticato come si chiama. Forse si trattava del gusto Napoleone?

Stefano: Napoletano.

Flavio: Ah, caspita. Per un attimo ero sicuro che fosse Napoleone.

Stefano: Beh sarebbe strano, dai.

Flavio: Se nella tua vita hai conquistato metà del mondo, avrai una certa tendenza a vedere il tuo nome associato a tante cose, come il complesso di Napoleone.

Stefano: Questo è vero. Ma aspetta. Se ci rifletti su un attimo. Perché non si trova nulla col nome Genghis Khan?

Domande di comprensione

1. Durante la loro pausa dai videogiochi, cosa hanno fatto Stefano e Flavio?
   - A. Hanno comprato della panna montata, per poi andare a fare jogging nel parco.
   - B. Hanno comprato della schiuma da barba, per poi fare una passeggiata al Parco divertimenti.
   - C. Hanno comprato del gelato, per poi fare una passeggiata al parco.
   - D. Si son presi un po' di tempo per studiare storia.

2. Il gelato napoletano contiene quali tre gusti?
   - A. Cacao, mirtillo e vaniglia
   - B. Cioccolato, fragola e vaniglia
   - C. Cioccolato, fragola e vigna
   - D. Cacao, fragola e vigna

3. Secondo Flavio, quando conquisti metà del mondo ad un certo punto della tua vita...
   - A. tenderai a vedere il tuo nome associato a tante cose.
   - B. tenderai a nominare molte cose come te.
   - C. tenderai ad avere il nome di molte cose.
   - D. tenderai ad avere molte cose con il loro nome in te.

English Translation

(During a break from video games, Stefano and Flavio decide to go out for ice cream and take the opportunity to take a walk in the park.)

Stefano: Wow, the weather is perfect today.
Flavio: Oh for sure, perfect for staying inside and playing (games).
Stefano: Well, you would have said that regardless of the weather.
Flavio: But of course! By the way, this ice cream is amazing. This strawberry flavor is delicious!
Stefano: The strawberry is not bad at all. But I always end up choosing vanilla or chocolate. With those, you can never go wrong.
Flavio: Which did you get just now?
Stefano: This time I chose vanilla.
Flavio: Ah. I wonder if there's that flavor that brings all three of them together.
Stefano: You mean chocolate, strawberry, and vanilla?
Flavio: Yeah! I forgot what it's called. Maybe it was the Napoleon flavor?
Stefano: Neapolitan.
Flavio: Oh, wow. For a second, I was sure it was Napoleon.
Stefano: Well, that would be silly, come on.
Flavio: If in your life(time), you've conquered half of the world, you're going to tend to see your name associated with many things, like the Napoleon complex.
Stefano: That is true. But wait. If you think about it for a moment, why is there nothing with the name Genghis Khan?

CAPITOLO 23:

FUGA DALLA REALTÀ

(Dopo aver finito una sessione di gioco, Stefano e Flavio stanno chiacchierando sul divano.)

Flavio: Se mai andrai all'estero, dovrai visitare il Giappone. È da vedere assolutamente.

Stefano: Non saprei. Il giapponese mi sembra difficile.

Flavio: Fra, ti basterà trovare una ragazza giapponese e lo imparerai subito. Ti immergerai completamente in questa lingua.

Stefano: Se questo fosse vero, non pensi che tutti i turisti tornerebbero a casa parlandolo perfettamente?

Flavio: Una settimana o due non sono sufficienti. Dovresti starci per almeno sei mesi. Pensaci. Ti divertirai con tutti gli ultimi giochi e le anime, in anteprima, dal giorno della loro uscita in Giappone.

Stefano: Forse. È una possibilità. Ma se tutto questo ti piace così tanto, perché non vai lì a studiare ?

Flavio: L'unica cosa che voglio studiare è come battere questo nemico che continua ad ammazzarci.

Stefano: Ma non ti preoccupa proprio il tuo futuro?

Flavio: Questo è esattamente un mio problema futuro.

Stefano: È incredibile, ogni giorno trovi sempre un modo nuovo per procrastinare. Quasi quasi ti farei i complimenti.

Flavio: Eh sì, sono davvero bravo.

Stefano: Ma cosa devo fare con te?

Flavio: Aiutarmi a battere questo nemico, ovviamente.

(Stefano emette un lungo sospiro e scuote lentamente la testa. Dopo alcuni secondi di silenzio, ha in mano il suo joystick, pronto a giocare di nuovo.)

Domande di comprensione

1. Cosa richiede, tra quanto segue, una immersione linguistica?
    A. Imparare una lingua, mentre si è immersi sott'acqua
    B. Imparare una lingua, avendo un'esposizione continua ad essa
    C. Imparare una lingua, attraverso una full-immersion nella realtà virtuale
    D. Imparare una lingua mediante il turismo

2. Perché Flavio pensa che Stefano dovrebbe andare in Giappone?
    A. Perché è molto meglio della Cina
    B. Può godersi tutti gli ultimi anime e videogiochi, sin dal giorno in cui escono in Giappone.
    C. Il giapponese è la lingua più semplice da imparare.
    D. Le ragazze giapponesi sono le migliori.

3. Cosa fa Flavio in questo capitolo, per ricevere i complimenti di Stefano?
    A. È molto insistente nel persuadere Stefano ad andare in Giappone.
    B. Pensa a nuovi modi per procrastinare.
    C. Pensa a un modo per battere il nemico nel gioco.
    D. È la persona più strana che Stefano abbia mai incontrato.

English Translation

(After finishing a gaming session, Stefano and Flavio are chatting on the couch.)

Flavio: If you ever go abroad, you'll have to visit to Japan. It's a must-see.
Stefano: I don't know. Japanese sounds pretty hard.
Flavio: Bro, you just need to find a Japanese girlfriend, and you'll learn it in no time. You'll completely immerse yourself in the language.
Stefano: If that were true, don't you think all tourists would come home speaking perfectly?
Flavio: A week or two isn't enough. You should stay there for at least six months. Think about it. You'll have fun with all the latest games and anime (as a preview) from the day they release in Japan.
Stefano: Maybe. It's a possibility. But if you like all this so much, why don't you go there and study?
Flavio: The only thing I want to study is how to beat this enemy (boss) that keeps killing us.
Stefano: But aren't you really worried about your future?
Flavio: That's future me's problem (*literally: this is exactly my future problem*).
Stefano: It's amazing. Every day you always find a new way to procrastinate. I would almost compliment you.
Flavio: Yup, I'm just that good.
Stefano: (But) what am I going to do with you?
Flavio: Help me beat this boss, obviously.

(Stefano lets out a long sigh and shakes his head slowly. After a few seconds of silence, he has his controller in his hand, ready to play again.)

CAPITOLO 24:
RIPARAZIONE DELL'AUTO

(La macchina di Stefano ultimamente si comporta in modo strano. Quindi la porta da un meccanico locale, per diagnosticare e risolvere il problema.)

Meccanico: Ehi ciao. Dimmi, come posso aiutarti?

Stefano: Ciao. La mia macchina fa le bizze, ultimamente. Quando mi fermo ad un semaforo, inizia a vibrare tutto. Le vibrazioni però si fermano appena riparto. A parte questo funziona bene.

Meccanico: Ok, capisco. Fammi dare una rapida occhiata e fare una breve prova. Nel frattempo siediti pure nella sala d'attesa. Verrò a chiamarti quando avrò finito.

Stefano: Bene. Grazie.

(Mentre Stefano guarda la TV e si prepara una tazza di caffè nella sala d'attesa, il meccanico apre il cofano della macchina e dà un'occhiata più da vicino al problema. Dopo circa una trentina di minuti, il meccanico richiama Stefano.)

Meccanico: Allora, ho controllato le parti fondamentali. Ho visto che l'olio va bene. La trasmissione è buona. Le gomme sono Ok. La batteria non ha problemi. Non ci sono perdite da nessuna parte. Quindi, molto probabilmente è un problema di candele.

Stefano: Beh, questa è una buona notizia! Io pensavo che fosse la trasmissione.

Meccanico: No. Affatto. Possiamo sostituirti tutte le candele e i cilindri oggi stesso, col nostro servizio di messa a punto speciale. Per te va bene?

Stefano: Dovete sostituire anche i cilindri? Quanto costerà?

Meccanico: Beh, il servizio di messa a punto per questo vecchio modello manterrebbe funzionante la tua auto molto più a lungo. Se eseguiamo la messa a punto completa arriviamo ad un totale di 380 euro.

Stefano: Oddio! Non credo di potermelo permettere. Posso fare una telefonata veloce?

Domande di comprensione

1. Qual è un sinonimo della frase "fare le bizze"?
    A. Comportarsi in modo strano
    B. Agire
    C. Agire di conseguenza
    D. Agire in fretta

2. Quale sembra essere il problema principale dell'auto di Stefano?
    A. Le candele sono andate.
    B. La trasmissione è rotta.
    C. Gli pneumatici sono sgonfi.
    D. I cilindri non sono cilindrici.

3. Perché il meccanico consiglia il servizio di messa a punto speciale?
    A. Perché vuole essere il nuovo amico di Stefano
    B. Perché potenzialmente potrebbe aiutare un veicolo di modello più vecchio a funzionare e a durare più a lungo
    C. Perché darà al veicolo quel bell'odore di macchina nuova
    D. Perché metterà a punto l'auto in modo tale da renderla adatta alle gare di accelerazione

English Translation

(Stefano's car has been acting strange lately. So he takes it to a local mechanic to diagnose and solve the problem.)

Mechanic: Hi there. (Tell me) how can I help you?

Stefano: Hello. My car has been acting up lately. When I stop at a traffic light, everything starts vibrating. The vibrations, however, stop as soon as I start again. Other than that, it works fine.

Mechanic: OK, I see. Let me take a quick look at it and do a brief test. In the meantime, have a seat over there in the waiting room. I'll come and call you when I'm ready.

Stefano: Alright. Thanks.

(While Stefano watches TV and makes himself a cup of coffee in the waiting room, the mechanic opens the hood of the car and takes a closer look at the problem. After around 30 minutes, the mechanic calls Stefano back.)

Mechanic: So, I checked the basic parts. I saw that your oil is good. Your transmission is good. The tires are fine. The battery has no issues. There are no leaks anywhere. So, it's most likely a spark plug issue.

Stefano: Oh, that's good news! I thought it was the transmission.

Mechanic: Nope. Not at all. We can replace all the spark plugs and cylinders today with our special tune-up service. Is that OK with you?

Stefano: You also have to replace the cylinders? How much will it cost?

Mechanic: Well, the tune-up service for this older model would keep your car running much longer. If we do the full tune-up, it will reach a total of 380 euros.

Stefano: Oh my god! I'm not sure I can afford that. Can I make a quick phone call?

CAPITOLO 25:

UN SECONDO PARERE

(Stefano è al telefono con sua madre.)

Mamma: Ciao?

Stefano: Ciao mamma. Sono qui al concessionario di automobili e mi chiedevo se avessimo abbastanza soldi per coprire i costi delle riparazioni.

Mamma: Quanto costano?

Stefano: Ehm, 380 euro.

Mamma: Signore mio. Che problema ha? Cosa stanno sostituendo?

Stefano: Hanno detto che sono le candele e forse i cilindri.

Mamma: Tesoro, le riparazioni per queste parti non costano 380 euro. Potremmo cambiare tutto per meno di cento euro.

Stefano: Ma mi hanno offerto il loro servizio di messa a punto speciale, per assicurarsi che l'auto funzioni meglio.

Mamma: Questo si chiama approfittarsi della gente. I meccanici sanno che la maggior parte delle persone non sono esperte d'auto, quindi offrono ogni genere di servizi costosi per aumentare il prezzo. Sono tutte cavolate inutili, non ne hai bisogno.

Stefano: Oh, Ok. Quindi, dove troveremo i pezzi dell'auto?

Mamma: Ordinarle online è più economico. Possiamo farlo anche stasera.

Stefano: Ma come andrò a scuola domani?

Mamma: Beh, ti accompagnerò in macchina mia fino a che arriveranno i pezzi.

Stefano: Per me va bene. Ah, non so cosa dire a Flavio. Gli servirebbe un passaggio per andare a lavoro domani.
Mamma: Flavio ha un lavoro?

Domande di comprensione

1. Cosa pensa la mamma di Stefano dell'offerta del meccanico?
    A. Pensa che Stefano dovrebbe approfittare dell'accordo.
    B. Pensa che un altro meccanico possa offrire un prezzo migliore.
    C. Pensa che Stefano si stia approfittando del meccanico.
    D. Pensa che si stiano approfittando di Stefano.

2. Se sei un esperto di auto, significa che...
    A. hai poca o nessuna conoscenza ed esperienza con le auto.
    B. sei ben informato ed esperto nell'essere un credulone.
    C. hai molta conoscenza ed esperienza con le auto.
    D. sei un credulone se si parla di automobili.

3. Come andrà a scuola domani Stefano?
    A. Lo accompagnerà Flavio.
    B. Flavio avrà il suo primo giorno sul suo nuovo posto di lavoro.
    C. Sua madre lo accompagnerà in manicomio.
    D. Sua madre lo accompagnerà.

English Translation

(Stefano is on the phone with his mom.)

Mom: Hello?

Stefano: Hi, Mom. I'm here at the car dealership, and I was wondering if we have enough money to cover the costs of the repairs.

Mom: How much does it cost?

Stefano: Uh, 380 euros.

Mom: Oh lord. What is the problem? What are they replacing?

Stefano: They said it's the spark plugs and possibly the cylinders.

Mom: Honey, the repairs for those parts does not cost 380 euros. We could change all of that for less than 100 euros.

Stefano: But they offered their tune-up service to make sure the car runs better.

Mom: That's called taking advantage of people. Mechanics know most people are not car experts, so they offer all kinds of expensive services to raise the price. It's all useless crap you don't need.

Stefano: Oh, OK. So, where are we gonna find the car parts?

Mom: Ordering them online is cheaper. We can do it tonight, too.

Stefano: But how will I go to school tomorrow?

Mom: Well, I'll drive you in my car until the parts come in.

Stefano: That's fine with me. Ah, I don't know what to tell Flavio. He needs a ride to work tomorrow.

Mom: Does Flavio have a job?

CAPITOLO 26:
LASCIARE IL NIDO

(Dopo aver sistemato la macchina, Stefano e sua madre si rilassano bevendo un tè e mangiando dei pasticcini.)

Stefano: In realtà non era impossibile. Pensavo sarebbe stato molto più difficile di quanto non fosse in realtà.

Mamma: Te l'avevo detto!

Stefano: Dove hai imparato tutte quelle cose sulle auto? Da papà?

Mamma: Assolutamente no. Ho dovuto imparare tutto da sola, per sopravvivere come mamma single. Devi riuscire a tagliare i costi il più possibile.

Stefano: Pensavo che, vista la sua bravura nelle riparazioni elettroniche, papà fosse bravo anche con altri tipi di macchine.

Mamma: Poteva insegnarti qualcosa, prima che se ne andasse.

Stefano: Già, però non l'ha fatto. E si parla di molto tempo fa, vero?

Mamma: Sono passati dieci anni, più o meno.

Stefano: In ogni caso, credo di aver deciso cosa farò con l'università.

Mamma: Oh, allora?

Stefano: Penso di provare a studiare all'estero.

Mamma: Oh. Dove?

Stefano: Non ho ancora deciso, ma penso da qualche parte in Europa.

Mamma: Come mai hai deciso di viaggiare?

Stefano: Sento che è arrivato il momento di stare da solo e di iniziare una specie di viaggio.

Mamma: Potresti farlo anche in questo paese. Trovando un lavoro e una casa tutta tua.

(Stefano chiude le sue labbra e fissa fuori dalla finestra, mentre una lunga pausa di silenzio riempie la stanza.)

Mamma: Se vuoi andartene, dovrai trovare un modo per pagarti le spese. Siamo già a corto di denaro già così, come stanno le cose in questo momento.

Stefano: Quindi, dovrò trovare un modo.

Domande di comprensione

1. Dove ha imparato tutte le informazioni sulle auto la mamma di Stefano?

    A. Ha imparato dal padre di Stefano.

    B. Le ha apprese da sola, per risparmiare denaro.

    C. È una meccanica di professione.

    D. Tutte le mamme single sanno come riparare una macchina.

2. Il papà di Stefano era esperto in quali tipi di riparazioni?

    A. Elettriche

    B. Elettricità

    C. Elettroniche

    D. Elettricista

3. Cos'ha spinto Stefano a volersi trasferire all'estero?

    A. Vuole andare a trovare suo padre.

    B. Vuole iniziare una sorta di viaggio.

    C. Vuole trovare l'amore della sua vita.

    D. Vuole stupire sua madre.

English Translation

(After fixing the car, Stefano and his mom relax by having some tea and eating pastries.)

Stefano: Actually, that wasn't too bad. I thought it would be much harder than it actually was.

Mom: I told you so!

Stefano: Where did you learn all that stuff about cars? From Dad?

Mom: Absolutely not. I had to learn everything on my own to survive as a single mom. You have to cut costs as much as possible.

Stefano: I thought that because of his skill with electronic repairs dad was also good with other kinds of machines.

Mom: He could have at least taught you some of that before he left.

Stefano: Yeah, but he didn't. And that was a long time ago, wasn't it?

Mom: It's been 10 years more or less.

Stefano: In any case, I think I've decided what I want to do with the university.

Mom: Oh, yeah?

Stefano: I am thinking of trying to studying abroad.

Mom: Oh. Where?

Stefano: I haven't decided yet, but I think somewhere in Europe.

Mom: Why did you decide to travel?

Stefano: I feel that the time has come to go out on my own (*literally: be alone*) and start some sort of journey.

Mom: You could do that in this country, too, finding a job and a house of your own.

(Stefano shuts his lips and stares out the window, while a long pause of silence fills the room.)

Mom: If you want to leave, you'll have to find a way to pay for the cost. We're already short on money as things stand now.
Stefano: Then, I'll have to find a way.

CAPITOLO 27:
LA GRANDE PROMOZIONE

(Stefano è alla pizzeria e sta negoziando con Aurora una promozione per una posizione dirigenziale.)

Aurora: Ne sei proprio certo? Non dovresti farlo, a meno che tu non ne sia sicuro al 100%.

Stefano: Sono sicuro al 100%. Devo inventarmi un modo per fare più soldi e questo ti permetterà anche di prenderti il tempo libero che desideri.

Aurora: Il fatto che magari tu non riesca a gestire i livelli di stress, derivanti dell'essere manager mi preoccupa non poco. Le responsabilità del lavoro e i tuoi doveri scolastici col tempo ti consumeranno.

Stefano: Avevi detto che mi avresti promosso in un batter d'occhio, o sbaglio?

Aurora: Non pensavo che avresti davvero voluto questo lavoro.

Stefano: Nemmeno io, fino a poco tempo fa. Sento che la mia vita in questo momento non sta andando in nessuna direzione, quindi ho bisogno di fare qualcosa. Il mio obbiettivo è risparmiare denaro per viaggiare all'estero.

Aurora: Hai detto che te ne andrai tra un anno, giusto?

Stefano: Esatto.

Aurora: Bene, anche se è solo per un anno, preferisco avere un manager temporaneo piuttosto che nessun manager. Detto questo, benvenuto a bordo, Manager Stefano.

(Aurora allunga la mano soddisfatta e Stefano la accetta con sicurezza. I due hanno una convinta stretta di mano.)

Aurora: Lascia che ti mostri l'ufficio.
Stefano: Ma certo.

(Nascosta dietro enormi pile di documenti, Stefano nota una foto incorniciata di un ragazzino, sulla scrivania.)

Aurora: Penso che il luogo migliore per iniziare sia quello in cui svolgerai gran parte dei tuoi compiti di manager, cioè supervisionare lo staff. Di solito sei abbastanza bravo a gestire le persone, ma ti dico questo, qua è tutta un'altra storia!

Domande di comprensione

1. Quando qualcosa ti consuma nel tempo, significa che...
    A. ti addebita una commissione.
    B. ti dà soldi.
    C. ti prosciuga le energie.
    D. ti dona energie.

2. Fare qualcosa in un batter d'occhio significa...
    A. farla mentre si è spaventati.
    B. farla immediatamente.
    C. farla mentre ci si fa prendere dal panico.
    D. farla con passione.

3. Cosa c'è sulla scrivania di Aurora in ufficio?
    A. Pile di documenti e un ritratto incorniciato
    B. Pile di documenti e un ragazzino
    C. Pile di denaro ed un autoritratto di Aurora
    D. Pile di scatole per pizza e di formaggio bruciato

English Translation

(Stefano is at the pizzeria, negotiating with Aurora for a promotion to a management position.)

Aurora: Are you really sure? You shouldn't do it unless you're 100 percent sure.

Stefano: I'm 100 percent sure. I have to figure out a way to make more money, and this will also allow you to take the time off you want.

Aurora: The fact that you might not be able to manage the level of stress of being a manager worries me a lot. The responsibility of work and your schoolwork will consume you over time.

Stefano: You said you would promote me in the blink of an eye, didn't you?

Aurora: I didn't think you'd really want the job.

Stefano: Neither did I until recently. I feel like my life right now isn't going in any direction, so I need to do something. My goal is to save money to travel abroad.

Aurora: You said that you'll leave in a year, right?

Stefano: That's right.

Aurora: Well, even if it's just a year, I'd rather have a temporary manager than no manager at all. With that said, welcome aboard, Manager Stefano.

(Aurora gladly reaches out her hand, and Stefano accepts it with confidence. The two have a firm handshake.)

Aurora: Let me show you around the office.

Stefano: Sure thing.

(Hidden behind huge piles of documents, Stefano notices a framed picture of a little boy on the desk.)

Aurora: I think the best place to start is where you'll be doing the most of your manager duties, which is supervising the staff. You're usually pretty good at managing people, but I'm telling you this, this is a whole different story!

CAPITOLO 28:

LA CONSULENZA GRATUITA

(Stefano è allo sportello Erasmus, per saperne di più sul programma di studio all'estero.)

Consulente: Hai mai viaggiato fuori dal paese?

Stefano: Nossignora, mai spostato.

Consulente: Ok. Cosa pensi di guadagnarci, partecipando al nostro programma?

Stefano: Penso che studiare all'estero mi aiuterà a capire il mio ruolo nel mondo.

Consulente: Di questo sono assolutamente sicura. Detto ciò, ti senti pronto a studiare e ad imparare una lingua straniera?

Stefano: Ovviamente.

Consulente: Hai esperienza con l'apprendimento di una nuova lingua?

Stefano: Ho seguito alcune lezioni di inglese a scuola.

Consulente: Ottimo. Hai delle domande da pormi sul nostro programma?

Stefano: Sono curioso. Com'è finita qui a fare questo lavoro?

Consulente: Oh! Beh, ho fatto il mio viaggio di studio all'estero in Irlanda durante l'università e mi è piaciuto tantissimo. Di conseguenza ho voluto aiutare gli altri a fare la stessa esperienza, almeno una volta nella vita.

Stefano: Ah, ottimo. Posso farle un'altra domanda?

Consulente: Certo. Di cosa si tratta?

Stefano: Ha mai avuto nostalgia di casa, mentre era all'estero?

Consulente: Ovviamente! Ma questo è un piccolo prezzo da pagare, per un'esperienza in grado di cambiarti la vita. Esiste un detto che riassume il concetto molto bene. Per avere qualcosa di davvero significativo, si deve sacrificare qualcos'altro.

Domande di comprensione

1. Cosa si aspetta Stefano dalla partecipazione al programma di studio all'estero?
    A. Che lo aiuti a trovare il suo ruolo nel mondo
    B. Che lo aiuti a trovare il mondo
    C. Che lo aiuti a mettersi il mondo sulle spalle
    D. Che lo aiuti a piazzarsi nel mondo

2. Quale tipo di esperienza ha Stefano nell'apprendimento di una lingua straniera?
    A. Non ha esperienza nell'apprendimento di una lingua straniera.
    B. Ha una cintura nera nell'apprendimento delle lingue straniere.
    C. Ha preso alcune lezioni di inglese a scuola.
    D. Ha preso lezioni di karate da bambino.

3. Cosa significa avere nostalgia di casa?
    A. Sentire la mancanza di casa, quando si vive all'estero
    B. Essere stanchi della propria casa, mentre si vive all'estero
    C. Stare male quando si vive a casa
    D. Perdere una giornata di lavoro, perché si sta male

English Translation

(Stefano is at the Erasmus (European (Community) Action Scheme for the Mobility of University Students) desk to learn more about the study-abroad program.)

Counselor: Have you ever traveled outside the country?

Stefano: No, ma'am, never moved.

Counselor: OK. What do you think you'll gain by participating in our program?

Stefano: I think studying abroad will help me understand my role in the world.

Counselor: About that, I am absolutely sure. Having said that, do you feel ready to study and learn a foreign language?

Stefano: Of course.

Counselor: Do you have any experience learning a new language?

Stefano: I took some English classes during school.

Counselor: Excellent. Do you have any questions about our program?

Stefano: I'm curious. How did you end up doing this job?

Counselor: Oh! Well, I did my own study abroad trip to Ireland during university and loved it. As a result, I wanted to help others have that same experience at least once in their lives.

Stefano: Ah, great. Can I ask you another question?

Counselor: Sure. What is it about?

Stefano: Have you ever been homesick while you were abroad?

Counselor: Of course! But it's a small price to pay for a life-changing experience. There's a saying that sums it up quite nicely. In order to have something really meaningful, you have to sacrifice something else.

CAPITOLO 29:

INTERVISTA CON UN

POLIGLOTTA

(Per saperne di più sull'apprendimento delle lingue, Stefano ha guardato diversi video su YouTube. Uno in particolare ha attirato la sua attenzione. È un'intervista con un poliglotta, nella quale quest'ultimo parla di come è arrivato ad imparare otto lingue diverse.)

Intervistatore: Sta dicendo che non ha imparato nessuna di queste lingue a scuola?

Poliglotta: Esattamente. L'inglese è stata la prima che ho appreso. Ho frequentato le lezioni di inglese durante la scuola elementare, ma mi sembrava di memorizzare solo elenchi di vocaboli e di regole grammaticali. Quelle lezioni non mi hanno mai aiutato a capire l'inglese parlato, quello vero, né mi hanno permesso di parlare come un madre lingua.

Intervistatore: Quindi, come ha fatto a imparare quanto dice?

Poliglotta: All'università avevo molto tempo libero. Mi ero stufato di guardare la TV, i film e di giocare ai videogiochi dopo le lezioni, quindi decisi di fare qualcosa di più stimolante con il mio tempo libero. Pensai che fare di tutto per imparare l'inglese sarebbe stata la cosa migliore per me. Quindi trascorsi tutto il mio tempo libero a guardare programmi TV e film solo in inglese, senza sottotitoli in italiano.

Intervistatore: Wow! Quanto riusciva a capire all'inizio?

Poliglotta: Praticamente nulla. All'inizio è stato molto difficile, ma anche entusiasmante. Dopo alcuni giorni a guardare, iniziai a notare che certe parole e frasi venivano ripetute più volte. Me le segnavo sul taccuino e le cercavo online alla fine di ciascun video. Ho fatto tutto questo ripetutamente. Dopo alcuni mesi mi resi conto che riuscivo a capire il novanta percento dell'inglese parlato in TV e nei film. Poco tempo dopo, parlare mi riusciva molto naturale. Sono stato così sorpreso da questo processo di apprendimento da ripeterlo più volte, con quante più lingue straniere mi riusciva possibile.

Domande di comprensione

1. Qual era il problema del poliglotta con le lezioni di inglese?
   A. Erano troppo costose.
   B. Erano troppo piatte e noiose.
   C. Sembrava che agli insegnanti non importasse nulla degli argomenti che spiegavano.
   D. Sembrava che gli studenti stessero solo memorizzando elenchi di parole e di regole grammaticali.

2. In che modo il poliglotta ha imparato l'inglese, durante il college?
   A. Ha trascorso tutto il suo tempo libero studiando e ottenendo i migliori voti possibili in classe.
   B. Ha trascorso tutto il suo tempo libero guardando programmi TV e film in inglese, senza sottotitoli in italiano.
   C. Ha trascorso tutto il suo tempo libero guardando programmi TV e film in inglese, con i sottotitoli in italiano.
   D. Ha trascorso tutto il suo tempo libero a memorizzare elenchi di parole dal vocabolario e regole grammaticali.

3. In che modo il poliglotta ha imparato le altre lingue straniere?
   A. Ha scritto ripetutamente certe parole e frasi.
   B. Dopo aver imparato l'inglese, si è reso conto di poter capire il novanta percento di qualsiasi altra lingua.
   C. Ha ripetuto più volte il vocabolario e le regole grammaticali, fino a memorizzarli.
   D. Ha applicato la stessa tecnica a tutte le lingue straniere che poteva.

English Translation

(To learn more about language learning, Stefano watched videos on YouTube. One video in particular caught his attention. It's an interview with a polyglot, in which he talks about how he came to learn eight different languages.)

Interviewer: You're saying you didn't learn any of these languages at school?

Polyglot: Exactly. English was the first one I learned. I took English classes during elementary school, but it felt like I just memorized lists of vocabulary words and grammar rules. Those classes did nothing to help me understand spoken English, real English, nor did they allow me to speak like a native.

Interviewer: So, how did you learn these things?

Polyglot: In university, I had a lot of free time. I got tired of watching TV and movies and playing video games after school, so I decided to do something more stimulating with my time. I thought doing everything I could to learn English would be the best thing for me. So I spent all my free time watching TV shows and movies in only English, without Italian subtitles.

Interviewer: Wow! How much did you understand at first?

Polyglot: Practically nothing. At first, it was very difficult but also exciting. After a few days of watching, I started noticing certain words and phrases were being repeated over and over. I wrote those down in my notebook, and I looked them up online at the end of each video. I did all this repeatedly. After a few months, I realized I could understand 90 percent of the English spoken on TV and in movies. Shortly after, I was able to speak very naturally. I was so surprised by this learning process that I repeated it several times with as many foreign languages as I could.

DID YOU ENJOY THE READ?

Thank you so much for taking the time to read our book! We hope that you have enjoyed it and learned more about real Italian conversation in the process!

If you would like to support our work, please consider writing a customer review on Amazon. It would mean the world to us!

We read each and every single review posted, and we use all the feedback we receive to write even better books.

ANSWER KEY

Chapter 1:
1) B
2) D
3) C

Chapter 2:
1) A
2) B
3) C

Chapter 3:
1) D
2) D
3) C

Chapter 4:
1) B
2) A
3) D

Chapter 5:
1) C
2) D
3) C

Chapter 6:
1) A
2) D
3) D

Chapter 7:
1) D
2) A
3) D

Chapter 8:
1) B
2) A
3) B

Chapter 9:
1) C
2) A
3) D

Chapter 10:
1) B
2) B
3) C

Chapter 11:
1) C
2) A
3) C

Chapter 12:
1) A
2) B
3) B

Chapter 13:
1) D
2) B
3) D

Chapter 14:
1) C
2) C
3) C

Chapter 15:
1) A
2) C
3) A

Chapter 16:
1) D
2) A
3) B

Chapter 17:
1) B
2) A
3) B

Chapter 18:
1) D
2) D
3) D

Chapter 19:
1) B
2) D
3) B

Chapter 20:
1) A
2) D
3) C

Chapter 21:
1) A
2) B
3) C

Chapter 22:
1) C
2) B
3) A

Chapter 23:
1) B
2) B
3) B

Chapter 24:
1) A
2) A
3) B

Chapter 25:
1) D
2) C
3) D

Chapter 26:
1) B
2) C
3) B

Chapter 27:
1) C
2) B
3) A

Chapter 28:
1) A
2) C
3) A

Chapter 29:
1) D
2) B
3) D

Printed in the USA
CPSIA information can be obtained
at www.ICGtesting.com
LVHW041616080124
768429LV00007B/198